FERNANDO DEL PULGAR

CLÁSICOS CASTELLANOS

FERNANDO DEL PULGAR

II

LETRAS. — GLOSA A LAS COPLAS DE MINGO REVULGO

EDICIÓN Y NOTAS DE J. DOMÍNGUEZ BORDONA

ESPASA-CALPE, S. A.
MADRID

Talleres tipográficos de la Editorial ESPASA-CALPE, S. A.
Ríos Rosas, 26. — Madrid

PRÓLOGO

Las LETRAS y la GLOSA A LAS COPLAS DE MINGO
REVULGO integran, con los *Claros varones de Castilla*, las obras menores de Fernando del Pulgar.

Fueron escritas las *Letras* entre los últimos días
del reinado de Enrique IV y el año 1484. En algunas, de carácter esencialmente oficioso, el autor se
refiere a sucesos actuales, justifica medidas de go-
bierno, y actúa de consejero y mediador, como
quien bien conoce el pensamiento de los reyes a
quienes sirve (1). Las aspiraciones de don Alfonso V de Portugal, como marido de la *Beltraneja*, a
la corona de Castilla y la parcialidad castellana a él
favorable, acaudillada por el arzobispo don Alonso
Carrillo y Acuña, constituyen principal motivo de

---

(1) BERNÁLDEZ, *Crónica de los Reyes Católicos*, capítulo XIV (Riv. LXX, 580), se refiere a la parte que
en el oficio de los cronistas reales tenía la expedición
de cartas para obtener información de sucesos y «procurar la paz e la concordia por epístolas de dulce y
autorizado escribir».

este primer grupo de cartas; pero no faltan en ellas
otros temas de importancia histórica, tales como
los que se refieren al deseado natalicio del príncipe
don Juan, establecimiento de la Inquisición en Sevilla, comienzos y fin de la guerra de Granada,
cercos de Tajara y Montánchez, y conquistas de
Zahara y Alhama.

Preside en otras cartas un tono más íntimo y familiar. Tal se advierte en la dirigida a la reina Isabel el año 1482 y en las bellas consolatorias envia-
das a diversos magnates. Las referencias persona-
les esparcidas en ellas son elemento muy impor-
tante para reconstruir la biografía del autor.

Finalmente, las epístolas *A su hija monja* y *Contra los males de la vejez* pueden considerarse como
verdaderos ensayos o pequeños tratados doctri-
nales.

No obstante el carácter predominante en cada
uno de estos tres grupos, danse simultáneamente
en muchas de las cartas el relato de hechos histó-
ricos, la nota autobiográfica, el comentario o ex-
planación filosóficos, y hasta el razonamiento que
hoy llamaríamos social (1).

Escritas en el estilo animado y suelto que carac-

---

(1) Compruébese, como ejemplo de este aspecto, la
letra XIV.

teriza a la prosa de los *Claros varones*, se resienten
menos que éstos de la tacha de adulación cortesana,
y campea con más libertad que en ellos el donaire
y agudeza de ingenio de su autor. Variadamente
ricas en cuanto a sus temas, alusiones y formas de
expresión, constituyen la glosa vivaz de una época
al margen de las áridas crónicas oficiales.

Ellas completan también, en cierto modo, la do-
cumentación histórica y la psicología de los *Claros
varones*, razón por la cual ambos textos figuraron
siempre juntos, desde la primera edición. A la bi-
bliografía dada en el primer volumen de CLÁSICOS
CASTELLANOS dedicado a Fernando del Pulgar no
hay que añadir otro número que el de la reimpre-
sión de las *Letras* en el tomo primero del *Epistola-
rio español*, por don Eugenio de Ochoa, que reproduce fielmente, incluso con las notas, la de Llaguno
de 1775 (1).

Para la presente edición ha servido como base, lo
mismo que en los *Claros varones*, la de Toledo de

---

(1) Riv. XIII, págs. 37-59. Llaguno alude a una
supuesta edición princeps a la que faltan las Letras VII,
XVI, XVIII y XIX a XXXI. Sospecho que se refiere
a un ejemplar incompleto, tal vez al encuadernado con
unas *Coplas de Mingo Revulgo*, que reseña *Salvá* (número 805). Este bibliógrafo anota también (núm. 806)
una edición de las Coplas, seguidas de los *Claros varones*. Cabe pensar que éstos, con las Letras del número 805, formaron un solo volumen.

1486, utilizando como entonces el ejemplar que poseyó don Miguel Artigas. Para suplir la falta de dos o tres folios en dicho ejemplar y para la fijación de algunas lecturas dudosas han sido consultadas otras ediciones posteriores, especialmente la de Zamora de 1543, que es la más antigua que hoy existe en la Biblioteca Nacional.

Bajo el número XXXII, incluyo también la carta al conde de Cabra, dada a conocer por el P. Luciano Serrano (1), la cual, como dice este autor, «constituye la nota bibiográfica del capítulo de la Crónica en que Pulgar relata la batalla de Lucena y los acontecimientos relacionados con la libertad de Boabdil», mostrándonos cómo el cronista iba anotando año por año los sucesos más salientes, y su aspiración a emular a los autores clásicos «con los razonamientos envueltos en mucha filosofía e buena doctrina».

* *

En las *Coplas de Mingo Revulgo* se unen también el valor histórico y el literario, ofreciendo en un sencillo artificio una honda significación. Constituye su asunto la exposición, censura y enmienda de

---

(1) *Documentos referentes a la prisión de Boabdil en 1483.* (Boletín de la Real Academia de la Historia, LXXXIV, 1926, págs. 439-448.)

los vicios sociales dominantes en la corte de Enrique IV, expresados en el discurrir de dos rústicos pastores, Mingo Revulgo, personificación del pueblo, y Gil Arribato, «profeta o adivino».

La forma métrica empleada es el verso octosílabo, en estrofas de una redondilla y una quintilla, con consonantes independientes.

A la licencia y desenfreno de las famosas *Coplas del Provincial*, opone Menéndez y Pelayo la gravedad y doctrina de las de Revulgo, y al agravio personal de aquéllas la nobleza emblemática y alegórica de éstas. El sabio polígrafo advierte también en la simplicidad del diálogo de las segundas, y en su lenguaje pastoril (que descubre elementos del habla popular de ciertas regiones de Salamanca y Zamora) una aportación de la mayor importancia para los orígenes del teatro español, «siendo naturalísimo el tránsito desde ellas hasta las primeras églogas de Juan del Encina» (1). Asimismo, y con anterioridad, Amador de los Ríos vió en estas incipientes formas dramáticas «una indispensable preparación» para el inmediato desarrollo del género (2).

---

(1) MENÉNDEZ Y PELAYO, *Antología de poetas líricos castellanos*, VI, págs. XII-XIX.

(2) AMADOR DE LOS RÍOS, *Historia crítica de la Literatura Española*, VII, pág. 132.

La paternidad de las *Coplas* ha sido atribuída a Juan de Mena, a Rodrigo de Cota y al mismo Pulgar; pero deben, todavía, tenerse por anónimas. De la popularidad que lograron testifican las imitaciones coetáneas (1), las numerosas ediciones y las glosas de que fueron objeto. Una de estas glosas, de autor desconocido, se publicó en el *Ensayo* (2) de Gallardo, él cual la copió de un códice del siglo XV. Otra, que acompaña a todas las impresiones de las coplas, es la de Pulgar. Otra, en fin, escribió en 1564 Juan Martínez de Barros, vecino de Madrid.

No difieren esencialmente las tres glosas en la interpretación del texto, llegando a veces Martínez de Barros incluso a la copia literal de las otras dos. En cuanto a la de Pulgar, la gravedad mantenida desde el principio al fin y el aparato erudito hacen

---

(1) Una de las más directas es la que empieza: *Abre, abre las orejas*, publicada por GALLARDO, *Ensayo*, y reproducida por MENÉNDEZ Y PELAYO, *Antología*, III, páginas 171-176.

(2) *Ensayo*, I, 823. Además del comentario en prosa acompaña a cada copla una respuesta en verso, con igual disposición métrica que ella. Las coplas aparecen en el ms. en este orden: I a IV, XVIII, VIII, V a VII, IX, X, XVII, XI a XVI, XIX, XX, XXII, XXIV a XXVII, XXIX a XXXI, XXI, XXVIII, XXIII y XXXII. Hay tres coplas más que faltan en todas las impresiones. MENÉNDEZ Y PELAYO, *Antología*, III, páginas 1-20, reproduce el texto de Gallardo con extractos de la glosa.

la lectura de ella menos atrayente que la de sus otros escritos. Importa señalar, en fin, su valor lingüístico, como interpretación de vocablos y modismos populares.

La primera edición de las coplas con glosa de Pulgar parece ser ésta:

«Glosa de las coplas del Reuulgo fecha por fernando de pulgar para el señor conde de haro condestable de Castilla» Sin l. ni a. Hacia 1485. (Salvá, 805) (1).

Después de ésta se han publicado las siguientes:

Sin l. ni a. Hacia 1500. (Salvá, 806.)

Sin l. ni a. (Salvá, 807.)

Sevilla, 1500. (Escudero *Tip. Hispalense*, p. 114.)

Sevilla 1506. Mencionada por don Fernando Colón en el *Registro* de su Biblioteca. (Salvá, 806.)

Sevilla, Jacobo Cromberger, 1510. (Perteneció a la librería de don Luis Usoz.)

Sin l. ni a. Hacia 1520. (Salvá, 807.)

Toledo, Ramón de Petras, 1525. (Salvá, 808.)

Medina, Pedro de Castro, 1542. (Ib.)

---

(1)   Debe de ser la misma a que se refiere Menéndez y Pelayo, como existente en la Biblioteca Nacional de Lisboa, y la misma también que se conserva en el Museo Británico [Fadrique de Basilea, Burgos, 1485?]. Cf. Henry THOMAS, *Short-title Catalogue of Books printed in Spain... now in the British Museum*, London, 1921, pág. 74.

Sevilla, Juan de León, 1545. (Gallardo, 3540.)

Burgos, Juan de Junta, 1553. (Biblioteca Nacional.)

Amberes, Viuda de Martín Nucio, 1558. (Salvá, 808) (1).

Valladolid, Adrián Ghemart, 1563. (Ib.)

Alcalá, Francisco Cormellas y Pedro Robles, 1564. Con la *Elegía* de Jorge Manrique. (Ib.)

Toledo, Francisco de Guzmán, 1565. (Ib.)

Alcalá, Andrés de Angulo, 1570. Con la *Elegía* de Jorge Manrique. (Ib.)

Salamanca, Juan Perier, 1580. (Gallardo, 3541.)

Amberes, Philipo Nucio, 1581. (Biblioteca Nacional.)

Huesca, Juan Pérez de Valdivieso, 1584. (Salvá, 808.)

Alcalá, Hernán Ramírez, 1588. Con la *Elegía* de Jorge Manrique. (Salvá, 808.)

Amberes, Martín Nucio, 1593. (Biblioteca Nacional.)

Amberes, Martín Nucio, 1594. (Salvá, 808.)

Madrid, Luis Sánchez, 1598. Con las *Coplas* de Manrique, *Refranes* de Blasco de Garay y *Diálogo* de Rodrigo de Cota. (Pérez Pastor, I, 578.)

---

(1)   En todas las eds. de Amberes, con los *Proverbios* del Marqués de Santillana y la *Elegía* de Jorge Manrique.

Madrid, Juan Martínez de los Corrales, 1614. (Biblioteca Nacional.)

Madrid, Viuda de Alonso Martín, 1632. (Ib.)

Madrid, Sancha, 1787. A continuación de la *Crónica de Enrique IV*, por Diego Enríquez del Castillo. Sigue a la glosa de Pulgar la de Martínez de Barros.

De todas las ediciones enumeradas en la anterior lista, que no debe considerarse exhaustiva, las que han podido ser manejadas para la presente no ofrecen variaciones sensibles respecto a la de Madrid de 1787.

J. DOMÍNGUEZ BORDONA.

[LETRA I]

LETRA DE FERNANDO DEL PULGAR CONTRA LOS MALES DE LA VEJEZ

Señor dotor Francisco Nuñes, físico: yo, Fernando de Pulgar, escriuano, paresco ante vos y digo: que padeciendo grand dolor de la ijada y otros males que asoman con la vejez, quise leer a Tulio *de senectute*, por auer dél para ellos algún remedio; y no le dé Dios más salud al alma de lo que yo fallé en él para mi ijada. Verdad es que da muchas consolaciones, y cuenta muchos loores de la vejez, pero no prouee de remedio para sus males. Quisiera yo fallar un remedio solo más por cierto, señor físico, que todas sus consolaciones: porque el conorte cuando no quita dolor, no pone consolación; y así quedé con mi dolor, y sin su consolación.

Quise ver esomismo el segundo libro que fizo de

---

2 Escrita en 1481 ó 1482. Cf. Letra XXIX. El destinatario pudiera ser el Dr. Francisco Núñez de la Yerba, profesor de Medicina en Salamanca y editor de la *Cosmographia Pomponii cum figuris*, impresa en dicha ciudad el año 1498.

las *Quistiones Tosculanas,* do quiere prouar que el
sabio no deue hauer dolor, y si lo houiere, lo puede
desechar con virtud. Yo, señor dotor, como no
soy sabio, sentí el dolor, y como no soy virtuoso,
5   no le pude desechar, ni lo desechara el mismo Tulio, por virtuoso que fuera, si sintiera el mal que yo
siento: así que para las enfermedades que vienen
con la vejez fallo que es mejor ir al físico remedia-
dor, que al filósofo consolador.

10   Por los Cipiones, por los Metellos y Fabios, y por
los Trasos, y por otros algunos romanos que biuieron y murieron en honra, quiere prouar Tulio que
la vejez es buena; y por algunos que houieron mala
postrimería prouaré yo que es mala, y daré mayor
15   número de testigos para prueua de mi intinción
que el señor Tulio pudo dar para en prueua de la
suya. Uno de los cuales presento al mismo Tulio,
el cual sea preguntado de mi parte: cuando Marco
Antonio, su enemigo, le cortó la mano y la cabeça
20   ¿cuál quisiera más: morir de calenturas algunos
años antes, o morir como murió viejo y de fierro
algunos años después?

Bien creo yo que aquellos romanos que alega
houieron honrada vejez; pero también creo que el
25   señor Tulio escriuió las prosperidades que houieron, y dexó de decir las angustias y dolores que sintieron y sienten todos cuantos mucho biuen. Sabio

---

6   La ed. princeps: «que yo *sentí*».

y honrado fué Adán; pero sus dos fijos vido home-
cida el uno del otro. Justo fué Noé; pero vido pe-
recer el mundo, y él andouo en la tormenta de las
aguas, y vídose descubierto y escarnecido de su
fijo. Abrahán, amigo fué de Dios; pero desterrado 5
andouo de su tierra, sufriendo angustias por mora-
das agenas. Ysaque, la vejez le fizo ciego, y biuió
vida atribulada por la discordia de sus dos fijos.
Rico fué Jacob y honrado; pero sus fijos le vendie-
ron al fijo que más amaua, y ciento y treinta años 10
confesó que hauía pocos y malos. Dauid persecuciones houo muchas y graues, y disensión dentro
de su casa, que es doblado tormento. El viejo Elí,
sacerdote, sus dos fijos sopo ser muertos en la batalla, y el arca del testamento tomada de los ene- 15
migos. Estos de quien estas cosas se leen, patriar-
chas fueron y amigos de Dios, mucho más por
cierto que los Metellos ni los Fabios de Roma; pero
¿ quién quita que en los muchos años que biuieron
houieron logar todas estas persecuciones que sin- 20
tieron? No acabaríamos de contar, porque son muchos, y aún diría que todos, los que por beuir
mucho houieron en sus postrimeros días grandes
tormentos, allende de los dolores corporales que
les acarrea la vejez.   25

---

12   En otras eds.: «muchas e *graves disensiones* dentro de su casa».

22   «*los que* por beuir». En todas las eds. posteriores
se suprimen las dos palabras subrayadas, con lo que se
altera notablemente el pensamiento del autor.

Ni por eso quiero conparar a nuestra vida y
trabajos la vida y tentaciones destos patriarcas, ni
de los santos y mártires que alunbrados del Espíritu Santo sufrieron virtuosos martirios y persecuciones; porque aquello fué por otros misterios de
Dios, obrados en aquellos que fueron sus amigos,
por esperimentar en ellos la virtud de la fe, de la
paciencia y de la constancia para enxenplo de nuestra vida. Pero digo que cuando aquellos sintieron
los trabajos de la vejez, cuánto más lo sentirían los
que no podieron alcançar ia gracia que ellos alcan-
çaron.

Job nos condena a pena de beuir pocos días y
sofrir muchas lacerias, la cual sentencia se executa cada día en cada uno de nosotros, especialmente
en los viejos; porque veo que continuamente pades-
cemos dolores, dolencias, muertes de propincos,
necesidades que tomamos, otras que se nos vienen
sin llamar, segund y en la manera que Job lo pro-
nunció por su sentencia: ítem más, pobreza, amiga
y mucho conpañera de la vejez.

E porque loa esomismo Tulio la vejez de tenpla-
da, porque se aparta de luxuria y de los otros ece-
sos de la mocedad, sea preguntado si usan los viejos desta tenplança porque no pueden o porque no
quieren. Dígolo, señor físico, porque a vos y a
otros ommes honrados viejos he oydo loar esta

_____

27   La ed. princeps: «he oydo *llorar*», por errata.

tenplança, y loar y deleitarse tanto en la desten-
plança de su mocedad pasada, que paresce faltar
la obra porque falta el poder, que está ya tan seco
cuanto está verde el deseo para la obra si podiese;
así que no sé yo cómo loemos de tenplado al que no 5
puede ser destenplado. Y si el viejo quiere tornar
a usar de las luxurias que dexó con la mocedad,
ya vedes, señor dotor, cuant hermoso le está andar
enbuelto en las cosas que su apetito le tienta, y
su fuerça le niega.   10

Loa tanbién la vejez porque está llena de autoridad y de consejo; y por cierto dice verdad, como
quiera que yo he visto muchos viejos llenos de días
y vacíos de seso, a los cuales ni los años dieron
autoridad, ni la esperiencia pudo dar dotrina, y ser 15
corrigidos de algunos mancebos. Y si algunos viejos hay que sepan, aun éstos dicen: si sopiera cuando moço lo que agora sé cuando viejo, otramente
houiera biuido: de manera que si el moço no face lo
que deue porque no sabe, menos lo face el viejo 20
porque no puede.

Loa tanbién el señor Tulio la vejez porque está
cerca de ir a uisitar los buenos en la otra vida; y
desta visitación veo yo que todos huymos, y huye-
ra el mismo Tulio si no le tomaran a manos, y le 25
enbiaran su camino a facer esta visitación que
mucho loó y poco deseó. Porque fablando con su
reuerencia, uno de los mayores males que padece
el viejo es el pensamiento de tener cercana la

muerte, el cual le face no gozar de todos los otros
bienes de la vida; porque todos naturalmente querríamos conseruar este seer, y ésto acá no puede
ser, porque cuanto más esta vida cresce, tanto más
5 decresce; y cuanto más anda, tanto más va a no
andar.

Y lo más graue que yo veo, señor dotor, es que
si el viejo quiere usar como viejo, huyen dél; si
como moço, burlan dél. No es para seruir, porque
10 no puede; no para seruido, porque riñe; no para en
conpañía de moços, porque el tienpo les apartó la
conuersación; menos [le] pueden conuenir los viejos, porque la vejez desacuerda sus propósitos. Comen con pena, purgan con trabajo; enojosos a los
15 que los menean; aborrescibles a los propincos, si
son pobres, porque tardan en morir; aborrescibles,
si son ricos y biuen mucho, porque tarda su heren-
cia. Disfórmansele los ojos, la boca y las otras fa-
ciones y mienbros; enflaquécenseles los sentidos, y
20 algunos se les priuan; gastan, no ganan; fablan mucho, facen poco; y sobre todo la auaricia, que les
cresce iuntamente con los días, la cual do quier que
asienta ¿qué mayor corrubción puede ser en la vida?

---

5 La ed. de 1500 interpola el siguiente pasaje: «va
a no andar. E propiamente fablando no se puede decir
con verdad que vive ni que muere el viejo: no muere,
porque aún tiene el ánima en el cuerpo; e no vive,
porque tiene la muerte tanto cerca, cuanto cierta. Así,
señor doctor, que no sé yo qué vida puede tener el que
este temor continuo tiene. *Y lo más grave*», etc.

Así que, señor físico, no sé yo qué pudo hallar
Tulio que loar en la vejez, heces y horrura de toda
la vida pasada, la cual le face hábile para recebir
cualquier dolencia de ijada, con sus aderencias. Y
si alguna edad de la vida halló digna de loor, lo que 5
niego, deuiera, a mi parescer, loar la mocedad,
antes que la vejez: porque la una es hermosa, la
otra fea; la una sana, la otra enferma; la una alegre,
la otra triste; la una enhiesta, la otra caída; la una
recia, la otra flaca; la una dispuesta para todo exer- 10
cicio, la otra para ninguno, sino para gemir los
males que cada hora de dentro y de fuera les nacen
Y por tanto, señor físico, sintiéndome agrauiado
de las consolaciones y pocos remedios de Tulio *de
senectute*, como de ningunas y de ningún valor, ape- 15
lo para ante vos, señor Francisco *de medicis*, y pido
los enplastos necesarios *saepe et instantive*: y re-
quieros que me remediéis y no me consoléis. *Valete.*

---

16 Francisco *de medicis*, en oposición a Tulio *de
senectute*. Llaguno transcribe «Francisco de Médicis»,
como si se tratase de otro apellido o sobrenombre del
Dr. Núñez.

[LETRA II]

Para un cauallero que fué desterrado del reyno

Señor: los que bien os desean querrían fablar luego en vuestro negocio. Yo, señor, pienso ser de calidad, que procurándolo agora se fará tarde lo que
5 dexándole un poco se puede facer tenprano; y por
tanto creed que se face mucho porque se dexa agora de facer algo. Y nos marauillés, que dolencias
hay que sana el tienpo sin medicina, y no el físico
con ella: vos, señor, tenés acá tales físicos, que no
10 faltará diligencia cuando vieren oportunidad.

Digos, señor, mi parescer, porque con cuatro
cosas somos obligados de ayudar a los señores y
amigos: con la persona, con la facienda, con la
consolación y con el consejo, o con la que destas
15 touieremos, y el amigo houiere menester. Vos, señor, no haués necesario de mí ninguna destas, ni
aun se fallan en todos ommes, especialmente las

---

1   Presume Llaguno que fué escrita reinando aún
Enrique IV.

tres dellas; porque muchos tienen personas para ayudar, pero no tienen ánimo para las disponer; otros tienen facienda para dar, pero fallésceles coraçón para la auenturar; algunos querrían consolar, pero no saben. 5

El consejar es muy ligero de facer, porque cualquiera, por necio que sea, presume dar consejo; y aun muchos se conbidan con él, porque cuesta poco, y tanbién porque nuestra humanidad nos trae naturalmente a ello, condoliéndose de lo que al pró- 10 ximo veemos padecer. Y no pudiendo, por agora, faceros otra ayuda sino la del consejo, que es más barato que las otras, me paresce lo que arriba digo.

Entre tanto, porque la obra de los físicos de acá aproueche con vuestro buen regimiento de allá, os 15 pido por merced, que considerés que en todos los tienpos houo destierros de personas mayores, iguales, e menores que vos, en los cuales houo algunas que la causa de su destierro fué comienço de su prosperidad. En su destierro vido Moysen a Dios; 20 en su destierro saluó a Roma Marco Camilio; el destierro de Tulio fué causa de su prosperidad; y otros muchos en diuersas maneras rodeadas por la prouidencia diuina; e así placerá a Dios que deste vuestro surtirá cosa tan próspera, que no 25 queráis no hauer seido desterrado; porque Dios es aquel que después de la aduersidad da prosperi-

11 La ed. princeps, por errata: «y no *puedo*».

dad, y después de muchas lágrimas y tristeza acostumbra derramar su misericordia.

Dirés vos, señor, que éste no es consejo, sino consuelo, y aun no de los mejores, y podríades me 5 llamar consolador de espera. Vamos, pues, al remedio, que a mí paresce ser el verdadero. Pensad, señor, dentro de vos mismo en vuestras culpas y ofensas fechas a Dios, y si fuéredes buen juez, fallarés que os suelta más de la mitad de lo que le 10 deués. Y si iunto con este pensamiento os meteis poco a poco por aquella contrición adelante, y la dexais derramar por todas las venas y arterias fasta que llegue al corçon que os lo pase de parte a parte, y os apretais con ella fasta que os faga bien 15 sudar, daos por sano y alegre; porque jamás fué ninguno puramente contrito, que no fuese piadosamente oído. Sant Mateo en su euangelio dice de una mujer que entre grand multitud do estaua nuestro Señor pudo tocarle en la halda para que 20 le sanase del fluxo de sangre que padescía, y dice que sintió nuestro Señor salir de sí virtud con que sanó aquella muger, y no le llegando los pies a tierra, tan apretado iua de gente, preguntó: ¿Quién me tocó? Yo creo, señor, que dado que la iglesia 25 esté llena de gente, y aun que muchos estemos de rodillas, pero pocos tocamos con la verdadera con-

---

5   *consolador de espera.* Frase análoga a la de *comendador de espera,* que CORREAS, LOC. 596, aclara diciendo que se aplica *al que no tiene.*

trición en la halda de nuestro Señor, para que sal-
ga dél la virtud de su piedad que nos sane de la
sangre, que son los pecados, como fizo aquella buena dueña: ca si lo ficiésemos como ella lo fizo, tan
sanos quedaríamos como ella quedó. Así que, se-   5
ñor, toquemos a nuestro Señor en la halda con la
contrición, y acorrernos ha en el alma con la piedad. Toquémosle con el afection, y remediará
nuestra aflición. Toquémosle con las lágrimas, y
no dudés que responda con la misericordia, con el   10
remedio, con el alegría, y generalmente con todo
lo que hovieremos necesario.

   Gemía Dauid y regaua con lágrimas su cama y su
estrado en sus destierros e aduersidades, y confian-
do en aquella su verdadera contrición decía: Tú,   15
Señor, eres aquel que me restituirás mi heredad. Y
así ge la restituyó, e restituirá a todó contrito

   Sin duda creed, señor, que el más cierto conbate para tomar la piedad de Dios es la humildad e contrición nuestra. Sentencia y muy terrible   20
fué dada contra Acab; pero su contrición la fizo re-
uocar. Sentencia de muerte fué dada contra Eze-
chias, pero su contrición la fizo prorrogar. Y así
creed que se reuocará la vuestra, si haueis la contrición que los otros houieron; y si no se reuocare,   25
creed que no sudastes bien. Tornad otra vez a la
verdadera contrición pura, sin otro pensamiento ni
esperança de ommes, sino en solo Dios, y luego
haureis el reparo que esperáis; porque ni él quiere

otro sacrificio para ser aplacado, ni a vos queda
otro consejo para ser remediado.

Y nos enpachéis aunque váis a él tarde. Dígolo
porque muchos son los que despedidos ya de todo
5 remedio de los ommes, se tornan a Dios en sus
necesidades, y en las tales suele él mostrar su fuerça diuina, cuando se esperimentó nuestra fiaqueza
humana, no mirando la poca cuenta que dél en el
principio de nuestras cosas fecimos y deuiéramos
10 hauer fecho. El rey Vncislao de Ungría, echado de
su tierra, desanparado ya de todos los que le ser-
uían, dixo así: La fiucia que tenía en estos ommes
me ocupaua aquella pura esperança que deuía tener en Dios: agora que toda entera la pongo en él,
15 por fé tengo que me remediará. Y así lo remedió,
porque en poco espacio fué restituído en su tierra,
y en su honra.

Si cuerdo sois, desta vez creerés tener parte en
Dios, pues os tienta: de la cual tentación, allende
20 de lo conoscer más y mejor de aquí adelante, creo
quedaréis tan buen maestro que jamás seréis contra él, aunque el Rey os lo mande; ni contra el
Rey aunque vuestro señor lo quiera. Verdad es que
la costunbre mala y peruersa de nuestra tierra es
25 en contrario, y desto vienen en ella las turbaciones
que veemos.

Porque tenéis espacio para leer os enbío ésta:
leedla, aunque es prolixa. *Valete.*

3 *vais,* por vayáis.

[LETRA III]

Para el arçobispo de Toledo

Llama, no ceses, dice Isaías, muy reuerendo señor; y pues no veemos cesar este reino de llorar sus
males, no es de cesar de reclamar a vos, que dicen
ser causa dellos. ¿Poca cosa os paresce, dice Moi- ⁵
sen a Core y sus secaces, haueros Dios elegido
entre toda la multitud del pueblo para que le sir-
uais en el sacerdocio, sino que en pago de su beneficio le seais aduerso escandalizando el pueblo?

---

1 Don Alfonso Carrillo. Escribió Pulgar su semblanza en el título XVI de los *Claros Varones* y en la
Crónica de los Reyes Católicos, cap. XXVI. Esta carta,
escrita en 1475, fué motivada, lo mismo que las VI
y VII, por las pretensiones de don Alonso de Portugal
a la corona de Castilla y la parcialidad del Arzobispo
a favor de este Monarca. Las tres cartas fueron incluí-
das por el Cura de los Palacios en los capítulos XII,
XIII y XIV de su *Crónica*. Las variantes que en ésta
ofrecen deben imputarse a error de copia, y no merecen ser señaladas. (Entiéndase, siempre que se men-
cione en estas notas la *Crónica* de Pulgar, que la referencia se hace a la edición de Juan de M. Carriazo,
Madrid, 1943.)

Contad, muy reuerendo señor, vuestros días antiguos, y los años de vuestra vida considerad. Considerad esomismo los pensamientos de vuestra ánima, y fallarés que en tienpo del rey don Enrique
5 vuestra casa recebtáculo fué de caualleros airados
y descontentos, inuentora de ligas y coniuraciones
contra el cetro real, fauorescedora de desobedien-
tes y de escándalos del reino; y siempre vos hauemos visto gozar en armas y ayuntamientos de gen-
10 tes muy agenos de vuestra profesión, enemigos de
la quietud del pueblo. E dexando de recontar los
escándalos pasados que con el pan de los diezmos
haués sostenido, el año de sesenta y cuatro contra
el rey don Enrique se fizo aquel ayuntamiento de
15 gente, que todos vimos ser el primero acto de inobediencia clara que, vuestra señoría seyendo cabeça y guiador, sus naturales le osaron mostrar.
Aquel casi amansado por la sentencia que en Medina se ordenaua, vuestra muy reuerenda señoría
20 se tornó a ayuntar con el rey, y luego a pocos días
acordó mudar el propósito e se iuntar con el príncipe don Alfonso, faciendo diuisión en el reino al-
çandole por rey.

Estas mudanças, tantas e en tan poco espacio
25 de tienpo por señor de tan grand dignidad fechas,
no en pequeña iniuria de la persona e de la dignidad se pudieron facer. Durante esta diuisión si se
despertó la maldad de los malos, la cobdicia de los
cobdiciosos, la crueldad de los crueles, e la rebe-

lión de los inobedientes, vuestra muy reuerenda
señoría lo considere bien, e verá cuant medecinal
es la Sacra Escritura, que nos manda, por sant
Pedro, obedescer los reyes, aunque disolutos, antes
que facer diuisión en los reinos; porque la corrub- 5
ción e males de la diuisión son muchos, e mas graues sin conparación que aquellos que del mal rey
se pueden sofrir.

Con grand vigiliança veemos a vuestra señoría
procurar que vuestros inferiores os obedezcan e 10
sean subiectos. Dexad, pues, por Dios, señor, a los
subiectos de los príncipes, no los alborotés, no los
leuantés, no los mostrés sacudir de sí el yugo de la
obediencia, la cual es más aceptable a Dios que el
sacrificio. Dexad ya, señor, de ser causa de escán- 15
dalos e sangres: ca si a Dauid por ser varón de
sangres no permitió Dios facerle casa de oración
¿cómo puede vuestra señoría en guerras do tantas
sangres se han seguido enbolueros con sana conciencia en las cosas diuinas que vuestro oficio sa- 20
cerdotal requiere?

Contagioso y muy irregular enxenplo toman ya
los otros perlados desta nuestra España, veyendo
a vos el principal ser el principal de todas las armas e diuisiones. No pequés, por Dios, señor, e 25
fagáis pecar: ca la sangre de Geroboan de la tierra
fué desarraigada por este pecado. Dexad ya, señor,
de rebellar e fauorescer rebeldes a sus reyes e señores: que el mayor denuesto que dió Nabal a Dauid

fué irado e desobediente a su señor. Iherusalem y
todas aquellas tierras, segund cuenta el hestoria-
dor Josepho, en caída tal vinieron cuando los
sacerdotes, dexado su oficio diuino, se mezclaron
5 en guerras y cosas profanas. Y pues vuestra dignidad vos fizo padre, vuestra condición no vos faga
parte, y no profanés ya más vuestra persona, religión y renta, que es consagrada, e para cosas pías
dedicada. Grand inquisición fizo Achimelec, sacer-
10 dote, antes que diese el pan consagrado a Dauid,
por saber primero si la gente que le hauía de comer
eran linpios. Pues considere agora bien vuesta señoría, de consideración espiritual, si son linpios
aquellos a quien vos lo repartís, e cómo y a quién,
15 o por qué lo dais e a quién se deuía dar, e cómo
sois transgresor de aquel santo decreto, que dice:
virum catholicum praecipue Domini sacerdotem.

Cansad ya, por Dios, señor, cansad, o a lo menos haued conpasión desta atribulada tierra, que
20 piensa tener perlado e tiene enemigo. Gime y re-
clama porque touiste poderío en ella, del cual vos
place usar, no para su instrucción como deués,
mas para su destruición como faceis; no para su
reformación, como sois obligado, mas para su de-
25 formación; no para dotrina e enxenplo de paz e
mansedumbre, mas para corrubción e escándalo y
turbación.

¿Para qué vos armais, sacerdote, sino para per-
uertir vuestro hábito e religión? ¿Para qué os ar-

mais, padre de consolación, sino para desconsolar
e facer llorar los pobres e miserables, e para que
se gocen los tiranos e robadores e ommes de escándalos y sangres con la diuisión continua que vuestra señoría cría e fauoresce? 5

Decidnos, por Dios, señor, si podrán en vuestros días hauer fin nuestros males, o si podremos
tener la tierra en vuestro tienpo sin diuisión. Ca-
tad, señor, que todos los que en los reinos e prouincias procuraron diuisiones, vida e fines huieron 10
atribuladas. Temed, pues, por Dios, la caída de
aquellos cuya dotrina querés remidar, e no traba-
jés ya más este reino, ca no hay so el cielo reino
más deshonrado que el diuiso. Lea vuestra señoría
a Sant Pedro, cuya orden recebistes e ábito vestís, 15
e aued alguna caridad de la que os encomiendó
que ayáis, y basteos el tienpo pasado a voluntad
de las gentes. Sea el porvenir a voluntad de Dios,
que hora es ya, señor, de mirar do vais, e no atrás
do venís. No querais más tentar a Dios con tantas 20
mudanças; no querais despertar sus juicios, que
son terribles e espantosos: y pues vos eligió Dios
entre tanta multitud para que le sirvais en el sacerdocio, en retribución de su beneficio no lo es-
candalicés el pueblo, segund fueron las primeras 25
palabras desta epístola.

[LETRA IV]

Para un caballero, su amigo, de Toledo

Señor: dixéronme que vuestras enfermedades os
han mucho enflaquescido, y no me marauillo; porque si la edad que abaxa nunca arriba sin dolen-
5 cia, cuánto más fará con ella. E veemos que las
enfermedades hauidas derredor de los sesenta,
cuando ya tanta gracia nos ficieren que no nos lle-
uen, otórgannos la vida con condición que pares-
camos de setenta, y que biuamos en ay continuo.
10 La reina Isis en la tierra de los indos que conquistó
falló una isla llamada Barac, do matauan los viejos començando a dolecer, porque no biuiesen con
pena. No aprueuo esta costumbre, porque ni la fe,
ni la natura la consienten; pero conosco viejos que
15 querrían beuir en aquella isla, por no esperar la

---

1   Llaguno la cree escrita en 1478. Puede, en efecto,
presumirse que en los «odreros alborotadores» de que
en ella se habla se alude a los conjurados con el arzobispo Carrillo por el rey de Portugal en aquella fecha.
Cf. Pulgar, *Crónica*, cap. XCVIII. A los mismos hechos se refiere la Letra XIV.

hora de la muerte penando todas las horas de la
vida. A mí paresce que así como facemos prouisión
en verano para sofrir las fortunas del inuierno,
bien así en las fuerças de la mocedad deuemos trabajar para sostener la flaqueza de la vejez: y vos 5
deueis dar gracias a Dios porque en vuestra mocedad os dió casa e facienda para sofrir e remediar
las dolencias que trae la edad.

Miénbraseme entre las otras cosas que oí decir a
Fernand Peres de Guzmán que el obispo don Pablo 10
escriuió al condestable viejo, que estaua enfermo
ahí, en Toledo: Pláceme que estais en cibdad de
notables físicos, e sustanciosas medecinas. No sé si
lo dixiera agora; porque veemos que los famosos
odreros han echado dende los notables físicos, y 15
así creo que estais agora ende fornecidos de muchos mejores odreros alborotadores que de buenos
físicos naturales.

E dexando ora esta materia, de mí os digo, se-

10   El obispo don Pablo de Santa María y el condestable don Rui Lope Dávalos. Escribió PÉREZ DE GUZ-
MÁN las semblanzas de ambos. Cf. ed. de CLÁSICOS
CASTELLANOS, págs. 31 y 89.
14   *Los famosos odreros*. En el siglo XVI se decía:
Soplará el odrero y levantaráse Toledo. PAZ Y MELIA,
El Cronista Alonso de Palencia, pág. 402. Cuenta también que levantado un odrero por la multitud al mando
supremo, después de la batalla de Olmedo, al presen-
tar acatamiento al monarca dijo: *Tibi soli peccavi;* y
volviéndose al maestre e inclinando ligeramente la cabeza: *Non tibi, sed Petro.*

ñor, que esta mi enemiga y conpañera no le bastó
la ruín y engañosa conpañía que fasta aquí me ha
fecho, sino aun agora, que me quiere dexar, me la
face mucho peor. Cuando moço, me atormentó con
5 sus tentaciones; agora me atribula con sus dolencias. ¡Oh, digo, mala carne desagradescida! ¿Qui-
siste nunca de mí cosa que te negase? Si luxuria,
luxuria; si gula, gula; si vanagloria, si anbición, si
otros cualesquier deleites de los que tú sueles de-
10 mandar te pluguieron, nunca te resistí ninguno.
¿Por qué agora te place con tus enfermedades darme tanto pesar en pago de tanto placer? ¿Por qué?
dice ella: Porque soy enferma de mi natura, y lo enfermo no puedo facer sano. E ese complimiento de
15 apetitos que me feciste pasados, eran principio de
las dolencias que vees presentes. Si touieras, dice
ella, seso estonces para resistir mis tentaciones, touieras agora fuerça para sofrir mis enfermedades;
pero ni sopiste repugnar las tentaciones que se ven-
20 cen peleando, ni la luxuria que se vence huyendo.

Esto considerado, parésceme, señor, que será
bueno que comencemos ya a enfardelar para par-
tir; y porque no vayamos penados con la carga mal
cargada, verés, si os paresce, que vaya fecha en
25 dos fardelejos, uno de la satisfación, e otro de la
contrición: porque esta mercadería es muy buena
para aquella feria do vamos, y tanto demandada
allá cuanto poco usada acá. Más diría desto, si no
por no parescer parlero. Dios os dé salud.

[LETRA V]

PARA EL OBISPO DE OSMA

Muy reuerendo señor: una letra de Vuestra Reverenda Paternidad, enbiada a vuestro hermano, e tomada por las guardas, se vido aquí en Burgos, la cual *inter cœtera* contenía, que por todos, grandes y pequeños, en esa corte romana se da cargo grande a la reina nuestra señora, porque al principio destas cosas no se houo segund se deuía hauer. E parésceme, muy ruerendo señor, que los que tal sentencia dan, sin preceder otro conoscimiento, se deuerían bien informar antes que juzgar, o callar si no se pueden informar; o si lo uno ni lo otro ficieren, deurían hauer consideración, o siquiera alguna compasión de veinte e tres años, edad tan tierna

---

1 Don Francisco de Santillana, hermano de don Diego, comendador de Alcántara, fué como embajador a Roma en tiempo de Enrique IV. Según Loperráez, Sixto IV le hizo su camarero, y a principios de 1476 le dió el obispado de Osma, que rigió hasta 1478.

14 *veinte e tres años*. Si, como parece desprenderse del final de esta carta. fué escrita en el año 1476. antes

que gouernación tan dura tomaron en administra-
ción, oyendo en cada hora tantos consejos, tantas
informaciones, unas contrarias de otras; tantas palabras afeitadas, y muchas dellas engañosas, que
turban y fatigan las simplicísimas orejas de los
príncipes. Asimismo deurían pensar que son humanos, aunque reyes, e cargados de mucho mayores curas e trabajos que todos los otros; e si cualquier persona, por perfecta que sea, rescibe alteración si tres negocios arduos iuntamente le ocurren,
loaremos pues, y aun adoraremos estos veinte e
tres años, a quien todos los negocios deste reino e
los suyos propios en tan poco despacio, a manera de
tormenta arrebatada concurrieron, e los sufrió con
igual cara, y gouernó con firme esperança de dar
en estos sus reinos la paz que con tanto trabajo
procura e con tan grand deseo espera. Y si por
ventura vuestra reuerenda paternidad lo escribió
porque no quiso confirmar a Aréualo al señor duque, en verdad, muy reuerendo señor, mirándolo
sin pasión, aun no se fallará que pecó mucho su
alteza si como reina quiso administrar iusticia, o
como fija quiso ayudar a su madre, o como persona

de la toma de posesión del obispo de Osma, la edad de
la reina Isabel no sería veintitrés, sino veinticinco años,
pues nació en abril de 1451. Cf. CLEMENCIN, *Elogio*, página 58.

17 *procura.* La ed. princeps: *procuraua.*
19 *al señor duque.* Don Álvaro de Stúñiga, duque
de Plasencia y Arévalo. PULGAR. *Crónica*, I, 175.

virtuosa quiso fauorescer a una biuda despojada
de lo que dice pertenecerle: a la cual obligación
no sólo ella, mas de razón todo bueno, mediante
iusticia, es obligado.

Vistes, muy reverendo señor, acá e oiste allá 5
como esta tierra estaua en total perdición por falta
de iusticia. Agora, pues, razón es que sepáis que
porque el rey e la reina la executaron en algunos
malfechores luego que reinaron, e porque tentaron
desagrauiar algunos agrauiados, e quisieron facer 10
otros actos de iusticia deuidos a su oficio real, la
mala naturaleza nuestra, junto con la dañada posesión en que el rey don Enrique, que Dios haya,
nos dexó, despreció el beneficio tan saludable que
Dios nos enbiaua, e porque no repartieron lo que 15
queda por dar del reino, e no confirmaron lo que
está dado, e, en conclusión, porque no se despoja-
ron de todo el patrimonio real, sino de sólo el nombre de rey, que querríamos que les quedase para
lo poder dar, se ha fecho esto que allá haureis oído; 20
lo cual si dura, certifico a V. R. P. que hayais tarde la posesión del obispado de Osma, e cuando ya
lo houiesedes, cobrés dél más enojos que renta.
Ansí que, señor, si a esos que le oyen allá paresce
eso que dicen, a estos que están acá paresce esto 25
que veen.

[LETRA VI]

PARA UN CAUALLERO CRIADO DEL ARÇOBISPO
DE TOLEDO, EN RESPUESTA DE OTRA SUYA

Señor: vuestra carta recebí, por la cual quereis releuar de culpa al señor arçobispo vuestro
5 amo por este escándalo nueuo que se sigue en el
reino de la gente que agora tiene iunta en Alcalá,
y quereis darme a entender que lo face por seguridad de su persona, e por dar paz en el reino: y
tanbién decís que ha miedo de yeruas. Para este
10 temor de la yeruas, entiendo yo que sería mejor
atriaca que gente, y aun que costaría menos. E
cuanto a la seguridad de su persona e paz del reino,
faced vos con el señor arçobispo que sosiegue su
espíritu, y luego holgará él y el reino. E por tanto,
15 señor, escudada es la ida vuéstra a Cordoua a
tratar paz con la reina; porque si paz quereis ahí
la haueis de tratar en Alcalá con el arçobispo, y
aun dentro del arçobispo. Acabad vos con su se-

2   Año 1475. Véase la nota a la Letra III, pág. 17.

ñoría que tenga paz consigo, y que esté aconpa-
ñado de gente de letras, como su orden lo requiere,
y no rodeado de armas, como su oficio lo defiende,
e luego haureis tratado la paz que él quiere procurar, y vos quereis tratar.   5

Con todo eso, aquí me han dicho que el dotor
Calderon es buelto a corte: plega a Dios que este
Calderon saque paz. Justo es Dios, e iusto es su
iuicio. En verdad, señor, yo soy uno de los Calde-
rones con que el rey don Enrique muchas veces   10
enbió a sacar paz del arçobispo, y nunca pudo sacarla. Agora veo que el arçobispo enbía su Calderon
a sacarla de la reina: plega a Dios que la concluya
con su alteza mejor que yo la acabé con el arçobispo.   15

Pero dexando hora esto aparte: ciertamente, señor, grand cargo haueis tomado si pensais quitar
de cargo a ese señor por este nueuo escándalo que
agora face; saluo si alegais que el Beato y Alarcon
le mandaron de parte de Dios que lo ficiese, y no   20
lo dudo que ge lo dixiesen. Porque cierto es que el
arçobispo siruió tanto al rey e a la reina en los prin-

---

19   Acerca de la vida agitada y novelesca del alqui-
mista Fernando de Alarcón y del no menos farsante
Beato, hállanse curiosas particularidades en la *Crónica*
de Alonso de Palencia. Cf. Paz y Melia, *El cronista
Alonso de Palencia*, pág. 346. Respecto a Alarcón, véase Pulgar, *Crónica*, I, 82, 102... — El Dr. Calderón,
mencionado más arriba, no figura en los índices de las
obras citadas en la presente nota.

cipios, y tan bien, que si en el seruicio perseuera-
ra, todo el mundo dixiera que el comienço, medio
e fin de su reinar hauía seido el arçobispo, y toda la
gloria se inputara al arçobispo. Dixo Dios: *gloriam*
5 *meam* al arçobispo *non dabo;* y para guardar para
mí esta gloria, que no me la tome ningún arçobispo,
permitiré que aquellos Alarcones le digan que sea
contrario al rey e a la reina, e que ayude al rey de
Portogal para les quitar este reino; e contra toda
10 su voluntad e fuerças lo daré a esta reina, que lo
deue hauer de derecho, porque vean las gentes que
cuantos arçobispos hay de mar a mundo no son bastantes para quitar ni poner reyes en la tierra, sino
solo yo, que tengo reseruada la semejante prouisión
15 a mi tribunal. Así que, señor, esta vía me paresce
para escusar a su señoría, pues que lo podeis au-
torizar con tal Moisen y Aron como el Beato y
Alarcon.

Con todo eso, vi esta semana una carta que en-
20 bió a su cabildo, en que reprende mucho al rey e
a la reina por que tomaron la plata de las iglesias,
la cual sin duda estouiera queda en su sacrario, si
él estouiera quedo en su casa. Tanbién dice que
fatigan mucho el reino con hermandades, y no vee
25 que la que da él a ellos causa la que dan ellos al

---

4   Ego Dominus... gloriam meam alteri non dabo.
ISAÍAS, XLII, 8.
12   *de mar a mundo.* No registra la frase el Dic. de
Auts. ni las modernas eds. de la Academia.

reino. Quéxase asimismo porque fauorescen la toma
de Talauera, que es de su iglesia de Toledo, y no se
mienbra que fauoresció la toma de Cantalapiedra,
que es de la iglesia de Salamanca. Siente mucho el
enbargo de sus rentas, e no se mienbra cuántas ha 5
tomado y toma del rey, y aun nunca ha presentado
el preuillejo que tiene para tomar lo del rey, e que
el rey no pueda tomar lo suyo. Otras cosas dice
la carta, que yo no consejara a su señoría escreuir
si fuera su escriuano, por que la Sacra Escritura 10
manda que no fable ninguno con su rey papo a
papo, ni ande con él a dime y dirte he.

Dexando ora esto aparte, mucho querría yo que
tal señor como ese considerase que las cosas que
Dios en su presencia tiene ordenadas para que 15
hayan fines prósperos y durables, muchas veces
veemos que han principios y fundamentos trabajosos; porque cuando vinieren al culmen de la dignidad hayan pasado por el crisol de los trabajos y
por grandes misterios innotos de presente a nos, e 20
notos de futuro a él. La Sacra Escritura y otras
hestorias están llenas de estos enxenplos. Persecuciones grandes houo Dauid en su principio, pero
Ihesu filium Dauid decimos. Grandes trabajos pasó
Eneas, do vinieron los enperadores que señorearon 25
el mundo. Jupiter, Ercoles, Rómulo, Ceres reina de

---

24   Quomodo dicunt Christum, filium esse David?
LUCAS. XXI, 41.

Secilia, e otros e otras muchas, a unos criaron cier-
uos e a otros lobos, echados por los canpos; pero
leemos que al fin fueron adorados, e se sentaron
en sillas reales, cuya memoria dura fasta hoy. E
5 no sin causa la ordenación diuina quiere que aquello que luengamente ha de durar tenga los fundamentos fuertes y tales sobre que se pueda facer
obra que dure.

   Veniendo, hora pues, al propósito, casó el rey
10 de Aragón con la reina, madre del rey nuestro
señor, y luego fué desheredado y desterrado de Castilla. Houo este su fijo que desde su niñez fué gue-
rreado, corrido, cercado, conbatido de sus súbditos y de los estraños, e su madre con él en los
15 braços huyendo de peligro en peligro. La reina
nuestra señora, desde niña, se le murió el padre, y
aun podemos decir la madre, que a los niños no es
pequeño infortunio. Uinole el entender, y junto con
él los trabajos y cuidados; e lo que más graue se
20 siente en los reales, mengua estrema de las cosas
necesarias. Sufría amenazas, estaua con temor, bi-
uía en peligro. Murieron los príncipes don Alfonso
y don Carlos sus hermanos. Cesaron éstas. Ellos a

_____

   23   En todas las eds. aparece así esta parte del texto, que no resulta claro. Tal vez falte algún fragmento,
como sucede en otras cartas. La reina Isabel no tuvo
ningún hermano Carlos (Cf. FLÓREZ, _Reinas Católi-_
cas, II, 714-736). El príncipe don Carlos a que se refiere
Pulgar es, sin duda, el de Viana, con quien pensó ca-

la puerta de su reinar y el aduersario a la puerta de
su reino. Padecían guerra de los estraños, rebelión
de los suyos, ninguna renta, mucha costa, grandes
necesidades, ningún dinero, muchas demandas,
poca obediencia. Todo esto así pasado con estos 5
principios que vimos, y otros que no sabemos, si ese
señor vuestro amo les piensa tomar este reino como
un bonete, y darlo a quien se pagare, dígoos, señor,
que no lo quiero creer, aunque me lo digan Alarcon y el Beato. Más quiero creer a estos misterios 10
diuinos que a esos pensamientos humanos. Y ¿cómo
para ésto murió el rey don Enrique sin generación,
y para ésto murieron el príncipe don Carlos, y don
Alfonso, y para ésto murieron otros grandes estor-
uadores, y para ésto fizo Dios todos estos funda- 15
mentos e misterios que hauemos visto, para que
disponga el arçobispo vuestro amo de tan grandes
reinos a la medida de su enojo? De espacio se estaua Dios en buena fe si hauía de consentir que el
arçobispo de Toledo venga sus manos lauadas, y 20
disponga así ligeramente de todo lo que él ha ordenado, y cimentado de tanto tienpo acá, y con tantos y tan diuinos misterios.

Facedme agora tanto placer, si deseais seruir ese
señor, que le consejeis que no lo piense así, y que 25
no mire tan somero cosa tan honda. En especial le
consejad que huiga cuanto pudiere de ser causa de

sar a doña Isabel su hermano Enrique IV. Cf. Clemencin, *Elogio*, pág. 61.

diuisiones en los reinos como de fuego infernal, e
tome enxenplo en los fines que han hauido los que
diuisiones han causado. Vimos que el rey don Juan
de Aragón, padre del rey nuestro señor, fauoresció
5 algunas parcialidades y alteraciones en Castilla; y
vimos que permitió Dios a su fijo el príncipe don
Carlos que le pusiese escándalos y diuisiones en su
reino; y tanbién vimos que el fijo que las puso, y los
que le subcedieron en aquellas diuisiones, murieron
10 en el medio de sus días sin conseguir el fruto de
sus deseos. Vimos que el rey don Enrique crió y
fauoresció aquella diuisión en Aragón; y vimos que
el príncipe don Alfonso su hermano le puso diuisión
en Castilla; e vimos que plogo a Dios de le lleuar
15 desta vida en su mocedad como a instrumento de
aquella diuisión. Vimos que el rey de Francia procuró asimismo diuisión en Inglaterra; y vimos que
el duque de Guiana, su hermano, procuró diuisión
en Francia; e vimos que el hermano perdió la vida
20 sin conseguir lo que deseaua. Vimos que el duque
de Borgoña, e el conde de Baruique, e otros muchos procuraron en los reinos de Inglaterra e Francia diuisiones y escándalos; y vimos que murieron
en batallas despedaçados e no enterrados. Y si
25 quierés enxenplo de la Sacra Escritura, Achitofel
y Absalon procuraron diuisión en el reino de Dauid, e murieron ahorcados. Así que, visto todo esto
que vimos, no sé quien puede estar bien y estar
quedo, y quiere estar mal e estar bullendo.

[LETRA VII]

Para el rey de Portogal

Muy poderoso rey e señor: sabido he la inclinación que vuestra alteza tiene de acebtar esta enpresa de Castilla, que algunos caualleros della os ofrecen: e después de hauer bien pensado esta materia, 5 acordé escriuir a vuestra alteza mi parecer.

Bien es, muy excelente rey e señor, que sobre cosa tan alta e ardua haya en vuestro consejo alguna plática de contradición disputable, porque en ella se aclare lo que a seruicio de Dios, honor de 10 vuestra corona real, bien e acrecentamiento de vuestros reinos más conuiene seguir. E para ésto, muy poderoso señor, segund en las otras guerras santas, do haueis seido vitorioso, haueis fecho, porque en ésta con ánimo linpio de pasión lo cierto 15 mejor se pueda discerner, mi parecer es que antes

---

1 Año 1475. Se inserta también en la *Crónica* de Pulgar, cap. XXVIII, y en la del Cura de los Palacios. De dicha versión proceden los cuatro pasajes que interpolamos, en letra cursiva, en la presente edición.

todas cosas aquel Redentor se consulte que vuestras
cosas conseja, Aquel se mire que siempre os guía,
Aquel se adore e suplique que vuestras cosas y estado segura y prospera. Porque como quier que vues-
5 tro fin es ganar honra en esta vida, vuestro principio sea ganar vida en la otra.

E cuanto toca a la iusticia que la señora vuestra sobrina dice tener a los reinos del rey don Enrique, que es el fundamento que estos cauaJleros de
10 Castilla facen, e aun lo primero que vuestra alteza
deue mirar, yo por cierto, señor, no determino agora su iusticia; pero veo que estos que os llaman por
executor della, son el arçobispo de Toledo, y el duque de Aréualo, los fijos del Maestre de Santiago,
15 e del Maestre de Calatraua, su hermano, que fueron
aquellos que afirmaron por toda España, e aun fuera della publicaron, esta señora ni tener derecho a
los reinos del rey don Enrique, ni poder ser su fija
por la inpotencia esperimentada que dél en todo el
20 mundo por sus cartas e mensajeros diuulgaron: e
allende desto le quitaron el título real, e ficieron
diuisión en su reino. Deuríamos, pues, saber cómo
fallaron estonces esta señora no ser heredera de
Castilla, e posieron sobre ello sus estados en condi-
25 ción, e cómo fallaron agora ser su legítima subcesso-
ra, e quieren poner a ello el vuestro. Estas variedа-
des, muy poderoso señor, dan causa iusta de sospecha que estos cauaJleros no vienen a vuestra señoría
con celo de vuestro seruicio, ni menos con deseo

desta iusticia que publican, mas con deseo de sus
propios intereses, que el rey e la reina no quisieron,
o por ventura, no podieron complír segund la medida de su cobdicia; *ca si con ellos conplieran, vues-*
tra sobrina por cierto no toviera derecho ninguno ⁵
al reyno de Castilla en sus bocas.

Pues si yntereses propios es fundamento que a
esto les trae, ¿qué firmeza, qué seguridad, tomare-
mos dellos que baste para que, cesando vuestra se-
ñoría de les dar, o dándoles más la parte contraria, ¹⁰
ellos no cesen de vos servir? ¿Dó las villas, dó las
fortalezas que vos entregan, dó los rehenes e pren-
das que dan para la seguridad de lo que prometen?
¿Segurarnos hemos por ventura en su palabra, por-
que nunca la faltaron, o porque son ya tan esperi- ¹⁵
mentados en la virtud de la constancia que ynterese
jamás ni temor los corrompió? ¿No son éstos los que
olvidan la lealtad que debían a su rey, e mostrándo-
se crueles enemigos de su propia tierra, la pusieron
en robos y en tiranía, haciendo división en ella ²⁰
quando alçaron rey al príncipe don Alonso? ¿Así se
conocen los cavalleros de Castilla, así su cobdicia e

---

4 En las eds. de las Letras, en lugar de lo interpola-
do, dice solo: ... su cobdicia: *la cual tiene tan ocupada la*
razon en algunos ommes, que tentando sus propios intere-
ses acá e allá dan el derecho ageno do fallan su utilidad
propia. Y devés creer, muy excelente señor, que ralas
veces vos sean fieles aquellos que con dádivas hovierdes de
sostener, antes es cierto, aquella cesantes...

inconstancia, por que por sólo su papel se mueva
Vuestra Alteza con todo su poder, en fiuza dellos,
a tan gran enpresa; o pensais por ventura qve os
sean fieles aquellos que con dádivas ovierdes de sos-
5 *tener? No lo crea vuestra señoría, antes crea que*
aquellas cesantes, os sean deseruidores, porque
ninguno de los semejantes viene a vos como deue
venir, mas como piensa alcançar. E cuando vencido ya de la instancia dellos vuestra real señoría
10 acordase todavía acebtar esta enpresa, yo por
cierto dudaría mucho entrar en aquel reino, teniendo en él por ayudadores, y menos por seruidores, los que el pecado de la diusión pasada ficieron, e quieren agora de nueuo facer otra, repu-
15 tándolo a pecado venial, como sea uno de los mayores crímines que en la tierra se puede cometer, e
señal cierta de espíritu disoluto e inobediente: por
el cual pecado los de Samaria, que fueron causa
de la diuisión del reino de Dauid, fueron tan es-
20 comulgados, que nuestro Redentor mandó a sus
discípulos: En la prouincia de Samaria no entrés,
numerándolos en el gremio de las idolatrías; y
aun por tales mandó el omme de Dios al rey Ama-
sias que no iuntase su gente con ellos para la gue-
25 rra que entraua a facer en la tierra de Seyr; e en
caso que este rey hauía traído cient mill dellos, y
pagándoles el sueldo, los dexó por ser varones de
diuisión, e escándalo, e no osó enboluerse con ellos,
ni gozar de su ayuda en aquella guerra, por no te-

ner airada la diuinidad: la cual en todas las cosas,
e en la guerra mayormente, deuemos tener placada,
porque sin ella ninguna cosa está, ningún saber
vale, ningún trabajo aprouecha. E por tanto mirad
por Dios, señor, que vuestras cosas, fasta hoy flo-   5
rescientes, no las enboluais con aquellos que el derecho de los reinos, que es diuino, miran no segund
su realidad, mas segund sus pasiones y propios intereses. *E antes que entreis, mirad bien cómo entrais*
por reino do la cobdicia está así arraigada que los   10
caualleros dél no han enpachado ninguno, estando
en un partido, esforçar e dar esperanças de su ayuda
al otro, ni aun por mal recebir gajes e mercedes de
un rey e ir con ellas luego a servir su contrario.
E cuanto a la promesa tan grande y dulce como es-   15
tos caualleros os facen de los reinos de Castilla, con
poco trabajo y mucha gloria, ocúrreme un dicho de
Sant Anselmo, que dice: Conpuesta e muy afeitada
la puerta que conbida al peligro. E por cierto, señor,
no puede ser mayor afeitamiento ni conpostura   20
de la que estos vos presentan; pero yo fago más
cierto el peligro desta enpresa que cierto el efecto
desta promesa. Lo primero, porque no veemos aquí
otros caualleros sino estos solos, y estos no dan seguridad ninguna de su lealtad; e caso que haya   25
otros secretos que afirman aclararse, los tales no
piensan tener firme como deuen, mas tenporizar
como suelen, para declinar a la parte que la fortuna
se mostrare más fauorable. Lo segundo, porque

dado que todos los más de los grandes y de las cibdades e villas de Castilla, como éstos prometen,
vengan luego a vuestra obediencia, no es duda,
segund la parentella que el rey tiene, que muchos
5 caualleros y grandes señores e cibdades y villas se
tengan por él e por la reina *su mujer; en especial
estan de su parte el cardenal de España, que por la
actoridad e dignidad, junto con su hermano el marqués de Santillana, e el conde de Haro, e sus paren-
10 telas, es grande parte en aquel reino. Destos no vos
dan esperança ninguna. Tiene asimismo, segund se
dice, el aficion de los pueblos,* porque saben ella ser
fija cierta del rey don Juan, y su marido fijo natural de la casa real de Castilla; e la señora vuestra
15 sobrina fija incierta del rey don Enrique, y que vos
la tomais por muger: de lo cual no pequeña estima
se deue facer, porque la voz del pueblo es voz diuina
e repugnar lo diuino es querer con flaca vista vencer
los fuertes rayos del sol. Esomismo porque vues-
20 tros súbditos nunca bien se conpadecieron con los
castellanos, y entrando vuestra alteza en Castilla
con título de rey, podría ser que las enemistades
y discordias que entre ellos tienen, e de que estos
facen fundamento a vuestro reinar, todos se sa-
25 neasen y conuirtiesen contra vuestra gente por el
odio que antiguamente entre ellos es. Lo otro,

---

6   En las eds. de las Letras, dice sólo: ... *e por la
reina, a los cuales asimismo los pueblos son muy afecionados, porque saben.* etc.

porque en tienpo de diuisión ansí a vos de vuestra
parte como al rey e a la reina de la suya conuerná
dar e prometer e rogar, e sofrir a todos porque no
muden el partido que touieren para se iuntar con
la parte que más largamente con ellos se houiere. 5
Asi que, señor, pasaríades vuestra vida sufriendo,
dando y rogando, que es oficio de subjecto, e no
reinando e mandando, que es el fin que vos deseais
e estos cauelleros prometen.

Tornando hora, pues, a fablar en la iusticia de la 10
señora vuestra sobrina, yo, muy alto rey e señor,
desta iusticia dos partes hago: Una es ésta que vosotros los reyes e príncipes y vuestros oficiales, por
cosas prouadas, mandais executar en vuestras tierras, e a ésta conuiene preceder prueua e declara- 15
ción ante que la execución. Otra iusticia es la que
por iuicio diuino, por pecados a nosotros ocultos,
veemos executar, veces en las personas propias de
los delincuentes, e en sus bienes, veces en los bienes
de sus fijos e subcesores: así como fizo al rey Ro- 20
boan, fijo del rey Salamon, cuando de doce partes
de su reino luego reinando perdió las diez. No se
lee, pues, Roboan hauer cometido público pecado

16   El Cura de los Palacios interpola: *la exccución,*
porque de otra manera mal se cumpliría aquel común
hablar de los letrados que el juez debe sentenciar conforme a lo alegado y probado, y es injusta sentencia
condenar sin oír las partes, si no fuese en rebeldía.
Otra justicia es, etc.

fasta estonces por dó los deuiese perder: e como
iuntase gente de su reino para recobrar lo que perdía, Semey, profeta de Dios, le dixo de su parte:
Está quedo, no pelees, no es la voluntad diuina que
5 cobres ésto que pierdes. E como quiera que Dios
ni face ni permite facer cosa sin causa, pero el profeta no gela declaró; porque tan onesto es y come-
dido nuestro Señor, que aun después de muerto el
rey Salamon no le quiso deshonrar, ni a su fijo en-
10 vergonçar declarando los pecados ocultos del padre, porque le plugo que el sucesor perdiese estos
bienes temporales que perdía.

En la Sacra Escriptura y aun en otras historias
auténticas hay desto asaz exemplos, mas porque
15 no vamos a cosas muy antiguas y peregrinas, este
vuestro reino de Portogal a la reina doña Beatriz,
hija heredera del rey don Fernando e mujer del rey
don Juan de Castilla, pertenescía de derecho público, pero plugo al otro juicio de Dios oculto darlo al
20 rey vuestro abuelo, aunque bastardo y profeso de
la Orden del Cistel. Y porque a este oculto juicio
este rey don Juan quiso repugnar, cayeron aquella
multitud de castellanos que en la de Aljubarrota
sabemos y es notorio ser muertos. De derecho claro

11 *porque le plugo.* Desde aquí hasta *deuais hacer*
(pág. 49) se transcribe la ed. de Zamora de 1543, por
faltar una hoja al ejemplar consultado de la edición
princeps.
15 *vamos,* por vayamos.

pertenescían los reinos de Castilla a los hijos del
rey don Pedro, pero veemos que por virtud del juicio de Dios oculto lo poseen hoy los descendientes
del rey don Enrique su hermano, aunque bastardo.
Y si quiere vuestra alteza exemplos modernos, ayer ⁵
vimos el reino de Inglaterra que pertenescía al príncipe hijo del rey don Enrique y vémoslo hoy poseer
pacífico al rey Eduarte, que mató al padre y al hijo.
Y como quier que vemos claros de cada día estos e
semejantes efectos, ni somos ni podemos ser acá ¹⁰
jueces de sus causas, en especial de los reyes, cuyo
juez solo es Dios que los castiga, veces en sus personas y bienes, veces en la sucesión de sus hijos,
según la medida de sus yerros.

Sant Agustin, en el libro de la *Ciudad de Dios,* ¹⁵
dice: El juicio de Dios oculto ¿puede ser inicuo?
No. ¿Qué sabemos, pues, muy excelente rey e señor, si el rey don Enrique cometió en su vida algunos graues pecados por do tenga Dios deliberado
en su juicio secreto disponer de sus reinos en otra ²⁰
manera de lo que la señora vuestra sobrina espera
y estos caualleros procuran, según hizo a Roboam
y a los otros que declarado he a vuestra señoría? De
los pecados públicos se dice dél que en la adminis-
tración de la justicia (que es aquella por do los re- ²⁵
yes reinan) fué tan negligente, que sus reinos vinieron en total corrupción e tiranía, de manera que
antes de muchos días que fallesciese todo cuasi el
poderío y auctoridad real le era euanescido.

Todo esto considerado, querría saber quién es
aquel de sano entendimiento que no vea cuán difícile sea esto que a vuestra alteza hacen fácile, y
esta guerra que dicen pequeña cuánto sea grande e
5 la materia della peligrosa. En la cual si algún juicio
de Dios oculto hay por do vuestra alteza repugnan-
dolo ouiese algún siniestro, considerad bien, señor,
cuán grande es el auentura en que poneis vuestro
estado real y en cuánta obscuridad vuestra fama
10 que, por la gracia de Dios, por todo el mundo re-
lumbra.

Allende desto, de necesario ha de hauer quemas,
robos, muertes, adulterios, rapinas, destruiciones
de pueblos e de casas de oración, sacrilegios, el cul-
15 to diuino profanado, la religión apostatada, y otros
muchos estragos e roturas que de la guerra surten.
Tanbién vos conuerná sufrir y sostener robos y
robadores y hombres criminosos sin castigo ninguno, e agrauiar los ciudadanos e ommes pacíficos,
20 que es oficio de tirano y no de rey, y vuestro reino
entre tanto será libre destos infortunios, porque en
caso que los enemigos no le guerreasen, vos era for-
çado con tributos continuos y seruidumbres pre-
miosas, para la guerra necesarias, los fatigásedes,
25 de manera que procurando una justicia cometiéra-
des muchas injusticias. Allende desto vuestra real
persona, que por la gracia de Dios está agora quie-
ta, es necesario que se altere; vuestra consciencia
sana, es por fuerça que se corrunpa; el temor que

tienen vuestros súbditos a vuestro mandado, es necesario que se afloxe. Estais quito de molestias: es cierto que haureis muchas. Estais libre de necesidades: meteis vuestra persona en tantas y tales, que por fuerça os harán subjeto de aquellos que la libertad que agora teneis os hace rey e señor.

Y porque conosco cuánto cela vuestra alta señoría la linpieza de vuestra excelente fama, quiero traer a vuestra memoria cómo houistes enbiado vuestra enbaxada a demandar por muger a la reina. Tanbién es notorio cuántas veces en vida del rey don Enrique vos fué ofrecida por muger la señora vuestra sobrina y no os plugo de lo aceptar, porque se decía vuestra consciencia real no se sanear bien del derecho de su sucesión. Pues considerada agora esta mudança sin preceder causa pública porque lo deuais hacer ¿quién no haurá razón de pensar que fallais agora derecha subcesora a vuestra sobrina, no porque lo sea de derecho, mas porque la reina que demandastes por muger contraxo antes el matrimonio con el rey su marido que con vos que la demandastes? E hauría logar la sospecha de cosas indeuidas, contrarias mucho a las virtudes insignes que de vuestra persona real por todo el mundo están diuulgadas. E soy maravillado de los que facen fundamento deste reino que vos dan

17   *lo deuais hacer*. Síguese transcribiendo la edición princeps.

en la discordia de los caualleros e gentes dél, como
si fuese inposible la reconciliación entre ellos, e
conformarse contra vuestras gentes. Podemos decir
por cierto, muy alto señor, que el que esto no vee
5 es ciego del entendimiento, y el que lo vee y no lo
dice, desleal. Guardad, señor, no sean estos consejeros los que aconsejan no segund la recta razón,
mas segund la voluntad del príncipe ven inclinada.
E por tanto, muy alto e muy poderoso rey e señor,
10 antes que esta guerra comience se deue mucho mirar la entrada, porque principiar guerra quienquie-
ra lo puede facer: salir della no, sino como los casos
de la fortuna le ofrecieren, los cuales son tan varios
y peligrosos, que los estados reales e grandes no se
15 les deuen cometer sin grande y madura delibera
ción e a cosas muy iustas e ciertas.

*Mi parecer seria, muy eçelente señor, que esta de-
manda se debe primero tentar con estas amonestaciones e requerimientos, faciendo vuestro proceso justo
20 delante Dios e delante el Sumo Pontifice. E en el caso
que desto ningund fruto se oviere, estonçes vuestra
real señoria terná a Dios de su parte, e puede con su
ayuda començar la guerra que sin preceder ésto veemos que estais inclinado a hacer.*

[LETRA VIII]

PARA EL OBISPO DE TUY, QUE ESTAUA PRESO EN PORTOGAL, EN RESPUESTA DE OTRA

Reuerendo señor: encomendaros a la Virgen María no era mal consejo, si ese vuestro cuñado os lo
consejara antes que os prendieran, mas consejándo- 5
lo después de preso, deuierades decir: *ja no poide*,
segund todo buen gallego deuía responder. Bien es,
señor, que tengais deuoción en los miraglos de alguna casa de oración, segund lo aconseja el cuñado;
pero junto con ella no dexeis de encomendaros a la 10
casa de la moneda de la Curuña, o a otra semejante,

---

2 Año 1478. Se llamó este obispo don Diego de
Muros y rigió la diócesis de Túy, desde 1472 a 1478.
Fué, dice Gil González Dávila, gran teólogo y predica-
dor de fama. En una Constitución de 1482 él mismo
escribe «fuemos preso e levado a Portugal donde estu-
vimos preso quince meses en jaula e en fierros, donde
padecimos muchos trabajos». Cf. E. FLÓREZ, *España
Sagrada*, XXII, págs. 233 y sigs.
11 Las casas de la moneda en el reino de Castilla
eran cinco. Enrique IV dió licencia para establecer has-

porque entiendo que allí se facen los miraglos por
que vos haueis de ser libre. Por ende, señor, prome-
ted algo a una casa destas, e luego vereis por esperiencia el miraglo que vos esperais, y vuestro cu-
5 ñado os conseja, y abreuiad cuanto podiéredes,
porque segund acá anda vuestra facienda, poco
tenés agora para ofrecer a la casa, y ternés menos
o nada si mucho os tardais.

Decis, señor, que nós fallaron otro crimen sino
10 hauer reprehendido en sermones la entrada del señor rey de Portogal en Castilla. En verdad, señor,
algunos predicadores la aprouaron en sus sermones;
pero libres los veo andar entre nosotros, aunque
creo que tienen tanta pena por ser inciertos predi-
15 cadores cuanta gloria vos deués tener por ser cierto, aunque preso. Ya sabés que Micheas, profeta,
preso estouo, y aun buena bofetada le dieron porque profetaua verdad contra todos los otros que
persuadían al rey Acab que entrase en Ramoch
20 Galat; y bien sabés cuantos golpes reciben los ministros de la verdad, la cual se aposenta de buena
voluntad en los constantes, porque allí reluce ella
mejor con los martirios. *Herculem duri celebrant la-
bores.* ¿Pensades vos, señor, que ese vuestro inge-
25 nio tan sotil, esa vuestra ánima tan abta e dedicada por su habilidad para gozar de la verdadera cla-

---

ta ciento cincuenta. Cf. Liciniano SÁEZ, *Demostración
histórica*, pág. 573.

ridad, hauía de quedar en esta vida sin prueuas de
trabajos que la linpiasen, porque linpia torne al
logar limpio donde vino? No lo creais. Aquellas que
van a logar sucio es de creer que vayan sin lauatorio
de tentación en esta vida. Gregorio *in Pastorali* 5
dice: *De spe aeternae haereditates gaudium sumant,
quos aduersitas vitae temporalis humiliat.* Más os diría desto, sino que pienso que querríades más cuatro
remedios de idiotas que cinco consuelos de filósofos,
por filósofos que fuesen. Pero con todo eso tengo 10
creído que por algún bien vuestro houistes este
trabajo. *Saepe maiori fortunae*, dice Séneca, *locum
fecit iniuria,* segund hauemos visto e leído en muchas partes. Así me vala Dios, señor, cuando no
nos cataremos os espero cargado de tratos para 15
poner paz en la tierra.

Aquí nos dixeron que el señor rey de Portogal
se quería meter en religión; agora nos dicen que se
quiere meter en guerra. ¿Lo uno o lo otro es de
creer? Amas cosas, seyendo tanto contrarias, lexa- 20
nas son de un juicio tan excelente como el suyo.
Algunos castellanos afecionados a Portogal han
andado por aquí cargados de profecías; dellas salen
inciertas, otras hay en la verdad que no valen nada.
Y pues andamos a profetizar, yo profetizo que si el 25
señor rey de Portogal deliberare entrar otra vez en

---

8 *querríades.* La ed. princeps: *que querrían de más*
por errata.

estos reinos [a] ponellos en guerra y trabajos, muertes e robos, y a Portogal a bueltas, no lo dudo, y
menos dudo que faga los fechos de los descontentos.
Pero facer el suyo como lo desea, no lo creais en
5   vida de los biuos.

Plega a nuestro Señor e a nuestra Señora que
presto seais libre e a vuestra honra.

[LETRA IX]

Para el doctor de Talauera

Señor: del nacimiento del príncipe, con salud de
la reina, ouimos acá muy grand placer. Claramente
veemos sernos dado por especial don de Dios, pues
al fin de tal larga esperança le plogo dárnosle. Pa- 5
gado ha la reina a este reino la debda de subcesión
viril que era obligada de le dar. Cuanto yo, por fe
tengo que ha de ser el más bienauenturado príncipe
del mundo; porque todos estos que nacen deseados,
son amigos de Dios, como fué Ysaque, Samuel, y 10
Sant Juan, y todos aquellos de quien la Sacra Escritura face mención que houieron nacimientos
como éste, muy deseados. E no sin causa, pues son
concebidos y nascidos en virtud de muchas plega-

---

1   En las *Crónicas de los Reyes Católicos* de Diego
de Valera, y en las de Pulgar y Bernáldez, ed. de
Juan de M. Carriazo, se hallan diversas referencias a
este Doctor de Talavera, Rodrigo Maldonado, «hombre
muy prudente, curial y discreto». El príncipe don Juan
nació en 30 de junio de 1478. Falta esta carta, según
Llaguno, en la ed. de 1500.

rias y sacrificios. Ved el euangelio que se reza el día
de Sant Juan; cosa es tan trasladada que no paresce sino molde el un nascimiento del otro: la otra
Ysabel, esta otra Ysabel; el otro en estos días, éste
5 en estos mismos; y tanbién que se gozaron los vecinos e parientes, y que fué terror a los de las
montañas.

Nós escriuo más, señor, sobre esto, porque se me
entiende que otros aurán allá caído en esto mismo
10 y lo dirán e escreuirán mejor que yo. Basta que
podemos decir: *Quia repullit Deus tabernaculum
Enrici, et tribum Alfonsi non elegit; sed elegit tribum
Elizabet quam dilexit.* Fallarlo heis en el salmo de
attendite popule meus. No queda hora, pues, sino
15 que alçadas las manos al cielo digamos todos el
nunc dimittis, que el otro dixo, pues veen nuestros
ojos la salud deste reino. Plega Aquel que oyó las
oraciones para su nascimiento, que las oiga para
le dar larga vida.

---

16   Adaptación del *Psalmo* LXXVII, 77, 60, y referencia a Lucas, II, 29, 30.

[LETRA X]

Para don Enrique, tío del rey

Muy noble e magnífico señor: usando vuestra merced de su oficio e yo del mío, no es marauilla que mi mano esté de tinta e vuestro pie sangriento. Bien creo, señor, que esa vuestra ferida tal y en tal logar os daría dolor y pornía en temor. Pero ¿querés que os diga, muy noble señor? La profesión que fecistes en la orden de cauallería que tomastes os obliga a recibir tanto mayores peligros que los otros, cuanto mayor honra tenés que los otros. Porque si no touiésedes ánimo más que otros para semejantes afrentas, todos seríamos iguales. Ciertamente, señor, fatiga me dió algunos días la fama de esa vuestra ferida, porque todos decían ser peligrosa; pero deuemos ser alegres, pues seruistes a

---

1 Se refiere esta carta a la toma de Tajara en junio de 1483, donde el mayordomo mayor del rey don Enrique Enríquez, sufrió una herida de espingarda en el pie. Cf. PULGAR, *Crónica*, cap. CXLIX. Véase también la Letra XVII.

Dios con deuoción, al rey con lealtad, e a la patria
con amor, y, al fin, quedastes libre. Loado sea Dios
por ello e la Virgen gloriosa su madre.

3　La ed. de 1500 añade lo siguiente, que falta en
todas las demás: «Muy noble señor: aquellos a quien yo
subcedí en este cargo demandaban dádivas a los señores por escrebir semejantes fechos. Yo, señor, no quiero
otra cosa sino que vuestra merced me mande escrebir
la disposición de vuestra persona e de vuestro pie: e si
en esto os aveis conmigo liberalmente, prometo a vuestra merced de facer el pie vuestro mejor que la mano
de otro.»

[LETRA XI]

PARA LA REINA

Muy alta e excelente e poderosa reina e señora:
Pasados tantos trabajos y peligros como el rey
nuestro señor e vuestra alteza haueis hauido, no se
deue tener en poca estima la escriptura dellos, pues 5
ninguna se lee do mayores hayan acaescido: y aun
algunas historias hay que las magnificaron con
palabras los escritores mucho más que fueron las
obras de los actores. Y vuestras cosas, muy excelente reina e señora, no sé yo quién tanto las pueda 10
sublimar, que no haya mucho más trabajado el
obrador que puede decir el escritor. Yo iré a vuestra alteza segund me lo enbía a mandar e leuaré lo
escrito fasta aquí para que lo mande examinar;
porque escreuir tiempos de tanta iniusticia con- 15
uertidos por la gracia de Dios en tanta iusticia,
tanta inobediencia en tanta obediencia, tanta co-

---

1   Escrita en 1482, año en que da comienzo la guerra de Granada.

rrubción en tanta orden, yo confieso, señora, que
ha menester mejor cabeça que la mía para las poner
en memoria perpetua, pues son dellas dignas. Y si
vuestra alteza manda poner diligencia en los edifi-
5 cios que se caen por tienpo y no hablan, cuánto
más la deue mandar poner en vuestra historia que
ni cae ni calla. Muchos tenplos y edificios hicieron
algunos reyes y enperadores pasados, de los cuales
no queda piedra que veamos, pero queda escrip-
10 tura que leemos.

Acá auemos oído las nueuas de la guerra que

---

1 *en tanta orden.* (El resto de esta carta y toda la
siguiente se transcriben de la ed. de 1543, por faltar
una hoja al ejemplar de la ed. princeps.)

2 El editor Llaguno, que dice haber puesto esta
Letra conforme a la ed. de 1500 (que él tiene por princeps) restituyendo períodos que se omitieron en las
posteriores, interpola: *«mejor cabeza que la mía.* Después
desto es menester algunas veces fablar como el Rey, e
como Vuestra Alteza, e asentar los propósitos que ovis-
tes en las cosas: asentar asimismo vuestros consejos,
vuestros motivos. Otras veces requiere fablar como los
de vuestro Consejo; otras veces como los contrarios.
Después de esto las fablas e razonamientos y otras diuersas cosas. Todo esto, muy excelente Reyna e Señora, no es razón dexarlo a examen de un cerebro sólo,
aunque fuese bueno, pues ha de quedar por perpetua
memoria. *Y si Vuestra Alteza manda»,* etc.

10 Llaguno: *«que leemos.* En verdad muy excelente
Reyna y Señora, según lo vais faciendo, si otras dos
fijas o tres acá nos dais, antes de veinte años vereis
vuestros fijos e nietos señores de toda la mayor parte
de la Christiandad, y es cosa muy razonable que vuestra Persona Real se glorifique en leer vuestras cosas,

mandais mouer contra los moros. Ciertamente, muy
excelente reina y señora, quien bien mirare las cosas
del rey y vuestras, claro verá cómo Dios os adereça
la paz con quien la deueis tener y os despierta a la
guerra que sois obligados. Una de las cosas que los 5
reyes comarcanos vos han enbidia es tener en vuestros confines gentes con quien no solo podeis tener
guerra justa, mas guerra santa en que entendais y
hagais exercer la cauallería de vuestros reinos, que
no piense vuestra alteza ser pequeño proueimiento. 10
Tulio Ostilio, el tercero rey que fué en Roma, mouió guerra sin causa con los albanos sus amigos y
aún parientes, por no dexar en ocio su cauallería,
del cual escriue Titus Liuius: *Segnescere ciuitatem
ratus bellum extra undique quaerebat.* Pues cuánto 15
mejor lo hará quien la tiene tan justa buscada y
començada.

Mucho deseo saber cómo va a vuestra alteza con
el latín que aprendeis: dígolo, señora, porque hay
algún latín tan zahareño que no se dexa tomar de 20
los que tienen muchos negocios; aunque yo confío
tanto en el ingenio de vuestra alteza, que si lo tomais entre manos, por soberuio que sea, lo amansa-
reis como haueis hecho otros lenguajes.

pues son dignas de exemplo e doctrina para vuestros
descendientes en especial, e para todos los otros en general. *Acá avemos oído»*, etc.

14   El texto exacto es: *Senescere igitur civitatem otio
ratus, undique materiam excitandi belli quaerebat.* T. L.,
Hist. Rom., lib. I, cap. I. Ed. Tanchnitiana, 1881.

[LETRA XII]

PARA PEDRO DE TOLEDO, CANÓNIGO DE SEUILLA

Señor: muy acepto decis que os paresco a mi
señor el Cardenal. Grande vista deue ser por cierto
la vuestra, pues tan lexos vedes lo que yo no veo
5 tan cerca. Si a la comunicación llamais acepción,
alguna tengo como los otros; pero do no hay merced
no creais que haya acepción, por grande que sea
la comunicación; *maxime* que sabreis, señor, que ni
me comunica mucho su señoría ni me da nada su
10 magnificencia; y si alguna acepción quereis que
confiese, sabed que es como la de los reposteros de
la plata, que tienen so la llaue doscientos marcos y
no tienen un marauedí para afeitarse. Creed, señor,
que no hay otro acepto sino el que acepta o el que
15 acierta, quier por dicha, quier por gracia y suficien-
cia, y yo soy ageno destos casos.

Al presente ningunas nueuas hay que os escriua,

---

2   Puede referirse a cualquiera de los dos Carde-
nales, don Pedro González de Mendoza o don Diego
Hurtado de Mendoza.

porque en tienpo de buenos reyes adminístrase la
iusticia, y la iusticia engendra miedo, y el miedo
escusa excesos, y do no hay excesos hay sosiego y
do hay sosiego no hay escándalos que crían la guerra, que hace los casos do vienen las nueuas que 5
el buen vino aporta. Aunque la mala condición española, inquieta de su natura, en el aire querría, si
pudiese, congelar los mouimientos y sufrir guerra
de dentro cuando no la tienen de fuera. A osadas
quien escribió a los españoles en la guerra pere- 10
zosos y en la paz escandalosos, que supo lo que
dixo. Demos gracias a Dios que tenemos un rey
y una reina que no querais saber dellos sino que
ambos ni cada uno por sí no tiene priuado, que es
la cosa y aun la causa de la desobediencia y es- 15
cándalos en los reinos. El priuado del rey sabed
que es la reina, y el priuado de la reina sabed que
es el rey, y éstos oyen y juzgan y quieren derecho,
que son cosas que estoruan escándalos y los matan.

Cerca de lo que os place saber de mí, creed, 20
señor, que en corte ni en Castilla no biue hombre
mejor vida. Pero así la fenezca yo siruendo a Dios,
que si della fuese ya salido no la tornase a tomar
aunque me la diesen con el Ducado de Borgoña,
por las angustias y tristezas que con ella están 25
entretexidas y ençarçadas. Y pues quereis saber
cómo me aueis de llamar, sabed, señor, que me

9 *A ósadas*, en verdad, a fe, etc. ACAD.

llaman Fernando y me llamauan y llamarán Fernando, y si me dan el maestrazgo de Santiago tanbién Fernando; porque de aquel título y honra me
quiero arrear que ninguno me pueda quitar, y
5 tanbién porque tengo creído que ningún título pone
virtud a quien no la tiene de suyo. *Valete.*

[LETRA XIII]

Para el condestable

Ilustre señor: Rescibí la letra de vuestra señoría, en que mostrais sentimiento por los trabajos que pasais, y peligros que esperais en ese cerco que teneis sobre Montanches. Cosa por cierto nueua veemos en vuestra condición, porque en las otras cosas que por vos han pasado, prósperas o aduersas, ni os vimos mouimiento en la cara, ni sentimiento en la palabra. Verdad es que los males presentes son los que más duelen, en especial si se preluengan; y porque ese es duro y dura tanto, no es marauilla que lo sintais. La muerte, que es el último de los temores terribles, dice Séneca que no es de temer, porque dura poco. Pero, ilustre señor, yo creo bien que por duros e largos que sean los trabajos que agora te-

1 Año 1479. Era entonces Condestable de Castilla don Pedro Fernández de Velasco, segundo conde de Haro, el cual con don Gutierre de Cárdenas, Comendador mayor de León, mantuvo el cerco de Montánchez. Cf. Pulgar, cap. CX.

nés, vuestra señoría los sufrirá con igual ánimo,
pues son por ensalçamiento de la corona real e por
el honor y la paz de vuestra propia tierra: lo cual
ninguno bueno deue con mayor deseo cobdiciar, ni
5 con mayor alegría oír, ni con tan [grande] y feruiente afectión del ánima y trabajo del cuerpo procurar: porque el fin de todos los mortales es tener
paz, la cual así como los malos turban escandalizando, así los buenos procuran guerreando, y con
10 guerra veemos que se quita la guerra e se alcança
la paz, así como con fuego se quita el venino y se
alcança salud.

Yo, señor, dudo que el rey de Portogal venga a
socorrer esa fortaleza de Montanches que tenés
15 cercada; porque cierta cosa es que este su socorro
con gente se ha de facer, y su inperio no es de Da-
río para que haya menester grandes tienpos en le
iuntar. En verdad, señor, desque se dice este su socorro, sería quemada Escalona; pero dado que la
20 socorriese, creo, ilustre señor, que deliberastes bien
antes que esa enpresa acebtastes para no rescebir
en ella mengua, como facen los varones fuertes,
que no se ofrecen a toda cosa, mas eligen con ma-
duro pensamiento aquella donde por cualquier caso
25 que acaesca, próspero o aduerso, resplandesca su
loable memoria. E porque así como el miedo face
caer a los flacos, así el peligro face prouer a los
fuertes, tengo segura confiança que en el esfuerço
interior e en la prouisión esterior, no ternés agora

menor ánimo que touistes al principio cuando acebtastes esa enpresa, para le dar el fin que vos quereis, e todos deseamos: porque, como vuestra señoría conosce, la salida se mira en las cosas que se
comiençan, y no la causa porque se començaron. 5

No dudo, señor, que hayais muchos trabajos,
considerando el logar y el tienpo e las otras circunstancias; pero, señor, si el ladron Caco no fuera famado de recio, Ercoles, que le mató, no fuera
loado de fuerte, porque do hay mayor peligro se 10
muestra mayor grado de fortaleza, la cual no se
loa conbatiendo lo flaco, mas resplandesce resis-
tiendo lo fuerte, y tiene mayor grado de virtud es-
perando al que comete, que cometiendo al que espera; especialmente aquel que resiste presto los 15
peligros que súpitamente vienen, porque en aquella presta resistencia paresce tener fecho hábito de
fortaleza, de la cual se ha de fornecer de tal manera cualquier que face profesión en la orden de cauallería, que ni el amor de la vida ni el temor de la 20
muerte le corronpe para facer cosa que no deua.
Verdad es, señor, que el temor de la muerte turba
a todo omme; pero el cauallero que está obligado
a rescibir la muerte loable y huír de vida torpe,
deue seguir la dotrina del mote que traés en vues- 25
tra deuisa, que dice: *Un bel morir toda la vida
honra*, al cual me refiero.

---

20   Las otras eds.: ni *menos* el temor de la muerte.

Si en esta materia fablo más que deuo, en pena
de mi atreuimiento quiero sofrir que me diga vuestra señoría lo que dixo Anibal, el cual como ando-
uiese huyendo de los romanos e oyese a uno parlar
5 de *re militari*, e ordenar cómo hauían de ir las
huestes, e cómo las batallas deuían ser ordenadas,
respondió: Buenas cosas d[ice] este necio, sino que
un caso que se suele atrauesar en la facienda destruye todo y face ser vencidos a los que piensan
10 ser vencedores. Y por cierto, señor, creo que dixo
verdad, porque leemos en el Titus Liuius, que el
graznido de un ansar que se atrauesó escusó de
ser tomado el capitolio de Roma por los franceses,
que tenían ya entrada la cibdad, e después fueron
15 vencidos y desbaratados de los romanos.

[LETRA XIV]

PARA UN SU AMIGO DE TOLEDO

Señor conpadre: vuestra letra rescebí, y porque veais si la entiendo, diré claro lo que vos decís entre dientes.

En esa noble cibdad no se puede buenamente [5] sofrir que algunos que iuzgais no ser de linaje tengan honras e oficios de gouernación, porque entendeis que el defecto de la sangre les quita la habilidad del gouernar. Asimismo se sufre grauemente ver riquezas en ommes que se cree no las me- [10] recer, en especial aquellos que nueuamente las ganaron. Destas cosas, que se sienten ser graues e inconportables, se engendra un mordimiento de enbidia tal que atormenta e mueue ligeramente

---

1 Año 1478. Casi toda esta Letra forma parte del largo discurso que Pulgar pone en boca de Gómez Manrique, a la sazón alcaide de Toledo, con motivo de las parcialidades a favor del rey de Portugal. Cf. *Crónica*, cap. XCVIII.

a tomar armas e facer insultos. ¡Oh tristes de
los nueuamente ricos, que tienen guerra con los
mayores porque los alcançan, y con los menores
porque no pueden alcançar! Deuerían conside-
5 rar los mayores que houo comienço su mayoría,
e los menores que la pueden hauer. Y ciertamente, señor conpadre, no sé yo qué otra cosa se puede colegir del propósito de semejantes ommes,
saluo que querrían emendar el mundo e repartir
10 los bienes y honras dél a su arbitrio, porque les
paresce que va muy errado, e las cosas dél no
bien repartidas.

Pleito muy viejo toman por cierto, e querella
muy antigua usada, e no aún en el mundo fenesci-
15 da cuyas raíces son hondas, nascidas con los primeros ommes, e sus ramas de confusión que ciegan
los entendimientos, e las flores secas e amarillas
que afligen el pensamiento, e su fruto tan dañado
e tan mortal que crió e cría toda la mayor parte de
20 las muertes e crímines que en el mundo pasan e
han pasado, los que haueis oído e los que haués de
oír. Mirad agora, señor, yo vos [ruego]cuanto yerra
el apasionado deste error: porque dexando hora de
decir cómo yerra contra la ley de natura, pues
25 todos somos nascidos de una masa e houimos un
principio noble; e asimismo contra ley diuina, que
manda ser [to]dos en un corral e baxo de un pastor;

_____

22   *ruego*. En la ed. princeps, *niego*, por errata.

e especialmente contra la clara virtud de la caridad, que nos alunbra el camino de la felicidad verdadera. Haués de saber que se lee en la Sacra Escritura que [houo] una nación de gigantes que fué por Dios destruída, porque segund se dice presumieron 5 pelear con el cielo. ¿Qué, pues, otra cosa podemos entender de los que mordidos de enbidia facen escándalos e diuisiones en los pueblos, sino que, remidando a la soberanía de aquellos gigantes, quieren pelear con el cielo e quitar la fuerça a las 10 estrellas, e repugnar las gracias que Dios reparte a cada uno como le place, en virtud de las cuales alcançan estas honras e bienes que ellos piensan emendar e contradecir? Veemos por esperiencia algunos ommes dest[o]s que iudgamos nacidos de 15 baxa sangre forçarlos su natural inclinación a dexar los oficios baxos de los padres, e aprender ciencia, e ser grandes letrados. Veemos asimismo otros que tienen inclinación natural a las armas e a la agricultura; otros en bien e conpuestamen- 20 te fablar; otros en ministrar e regir, e a otras artes diuersas, e tener en ellas habilidad grande que le fuerça su inclinación natural. Otrosí veemos diversidad grande de condiciones, no solamente entre la multitud de los ommes, mas aún entre 25 los hermanos nascidos de un padre e de una madre: el uno veemos sabio, el otro inorante; uno

---

9. *soberanía*. Acaso errata, en vez de *soberbia*.

couarde, otro esforçado; liberal el un hermano, el
otro auariento; uno dado a algunas artes, el otro
a ninguna.

En esa cibdad pocos días ha vimos un omme pe-
5 raile, el cual era sabio en el arte de la astrología, e
en el mouimiento de las estrellas. Mirad agora, rué-
govos, cuán grand diferencia hay entre el oficio de
adobar paños e la ciencia del mouimiento de los
cielos; pero la fuerça de su costelación lo lleuó
10 aquello por do houo en la cibdad honra e reputa-
ción. ¿Podremos por ventura quitar a éstos la incli-
ción natural que tienen, do les procede esta honra
que poseen? No por cierto, sino peleando con el
cielo, como ficieron aquellos gigantes que fueron
15 destruídos. Tanbién vemos los fijos y decendientes
de muchos reyes e notables ommes obscuros e olui-
dados, por ser inábiles e de baxa condición. Fagamos agora que sean esforçados todos los que vienen
de linaje del rey Pirrus, porque su padre fué esfor-
20 çado: o fagamos sabios a todos los decendientes del
rey Salamon, porque su padre fué el más sabio: o
dad riquezas e estados grandes a los del linaje del
rey don Pedro de Castilla, e del rey Donís de Portogal, pues no los tienen e paresce que los deuen
25 tener por ser de linaje. E si el mundo quieren emendar, quiten las grandes dignidades, vasallos e rentas e oficios que el rey don Enrique de treinta años
a esta parte dió a ommes de baxo linaje. Vano trabajo, por cierto, e fatiga grande de espíritu da la

inorancia deste triste pecado: el cual ningund fruto
de delectación tiene como algunos otros pecados;
porque en el acto e en el fin del acto engendra tristeza e pasión con que llora su mal propio e el
bien ageno.

Así que no se deue hauer molesto tener riquezas e honras aquellos que paresce que no las
deuen tener, y carescer dellas los que por linaje
paresce que las merescen; porque esto procede de
una ordinación diuina que no se puede repugnar en
la tierra, sino con destruición de la tierra. E hauemos de creer que Dios fizo ommes e no fizo linajes
en que escogiesen, e todos fizo nobles en su nacimiento: la vileza de la sangre e oscuridad del linaje con sus manos la toma aquel que dexado
el camino de la clara virtud se incline a los vicios
e máculas del camino errado. E pues a ninguno
dieron eleción de linaje cuando nasció, e todos
tienen eleción de costunbres cuando biuen, inposible sería segund razón ser el bueno priuado de
honra ni el malo tenerla, aunque sus primeros la
hayan tenido. Muchos de los que opinamos de noble sangre veemos pobres e rahezes, a quien ni la
nobleza de sus primeros pudo quitar pobreza ni
dar autoridad: donde podemos claramente veer
que esta nobleza que opinamos ninguna fuerça natural tiene que la faga permanecer de unos en
otros, sino permanesciendo la virtud, que da la
verdadera nobleza.

Hauemos eso mismo de mirar, que así como el
cielo un momento no está quedo, así las cosas de
la tierra no pueden estar en un estado: todas las
muda el que nunca se muda: solo el amor de Dios
5 y la caridad del próximo es la que permanesce,
la cual engendra en el cristiano buenos pensamientos, e le da gracia para las buenas obras, que facen
la verdadera fidalguía e para acabar bien en esta
vida e ser de linaje de los santos en la otra.
10 No entendais, señor conpadre, que yo condep-
ne a la mayor parte, ni a la menor; mas algunos
pocos e bien pocos que pecan y facen pecar a muchos alterándolos e turbando la paz común por su
bien particular, e faciéndose principales guiadores,
15 el camino desta vida yerran, e el de la otra cierran:
porque sus principios destos que se facen principales son soberuia e anbición, e sus medios enbidia e
malicia, e sus fines muerte e destruición: los cuales
no deuerían por cierto tener autoridad de principa-
20 les, mas como ommes de escándalo deurían ser
apartados, no solamente del pueblo, mas del mundo, pues tienen las intinciones tan dañadas, que
ni el temor de Dios los retrae, ni el del rey los
enfrena, ni la conciencia los acusa, ni la vergüença
25 los inpide, ni la razón los manda, ni la ley los jud-
ga; e con sed rauiosa de alcançar en los pueblos
honras e riquezas, caresciendo del buen saber por
do se alcançan las de buena parte, despiertan escándalos para las adquerir, poniendo venino de di-

uisión en el pueblo: el cual no puede tener quieto
ni próspero estado cuando lo que estos tales piensan dicen y lo que dicen pueden, y lo que pueden
osan y ponen en obra, e ninguno ge lo resiste; lo
cual los buenos e principales deurían por cierto con 5
grand diligencia reprehender e castigar por fuir la
indignación de Dios, al cual vos encomiendo.

[LETRA XV]

Para el cardenal

Ilustre e reuerendísimo señor: Diego García me apremió que escriuiese consolaciones a vuestra señoría, sobre la muerte del duque vuestro hermano,
5 que Dios haya, no conosciendo en cuánta sinpleza incurría yo si presumiese consolar a vuestra señoría, a quien todas las consolaciones que se pueden decir son presentes. No so yo de aquellos que presumen quitar con palabras la tristeza no aun madura, fur-
10 tando su oficio al tienpo, que la suele quitar madurando. Yo, reuerendísimo señor, no sé decir otra consolación, sino que muy ligeramente se consolará por muerte agena aquel que toda hora pensare en la suya.

---

1 A don Pedro González de Mendoza, el Gran Cardenal, con motivo de la muerte de su hermano don Diego Hurtado, duque del Infantado, acaecida en enero de 1479. Véase la semblanza de éste. en los *Claros varones*, título IX.

2 De un Diego García de Hinestrosa «noble y estrenuo varón» enviado por los Reyes Católicos como embajador a don Alonso de Portugal, habla Diego de Valera, *Crónica*, ed. de J. M. Carriazo, Madrid, 1927, pág. 11.

[LETRA XVI]

RAZONAMIENTO FECHO A LA REINA CUANDO FIZO PERDÓN GENERAL EN SEUILLA

Muy alta e excelente reina e señora: estos caualleros e pueblos desta vuestra cibdad vienen aquí
ante vuestra real magestad, e vos notifican que ⁵
cuanto gozo houieron los días pasados con vuestra
venida a esta tierra, tanto terror e espanto ha puesto en ella el rigor grande que vuestros ministros
muestran en la execución de vuestra iusticia, el
cual les ha conuertido todo su placer en tristeza, ¹⁰
toda su alegría en miedo, y todo su gozo en angustia
y trabajo.

Muy excelente reina e señora: todos los ommes
generalmente dice la Sacra Escritura que somos inclinados a mal; e para refrenar esta mala inclinación ¹⁵

---

1 Insertó Pulgar este razonamiento en su *Crónica*, cap. LXXXIX, como dicho por don Pedro de Solís,
obispo de Cádiz, cuando en 1477 fué, en compañía de
otros caballeros de Sevilla, a solicitar perdón general a
la reina Isabel.

nuestra son puestas e establecidas leyes e penas, e
fueron por Dios constituídos reyes en las tierras, e
ministros para las executar, porque todos biuamos
en paz e seguridad, para que alcancemos aquel fin
bienaventurado que todos deseamos. Pero cuando
reyes e ministros no hauemos, o si los hauemos son
tales de quien no se haya temor, ni se cate obediencia, no nos marauillemos que la natura humana, siguiendo su mala inclinación, se desenfrene e cometa delitos e excesos en las tierras, e especialmente
en esta vuestra España, donde veemos que los ommes por la mayor parte pecan en un error común,
anteponiendo el seruicio de sus señores inferiores a
la obediencia que son obligados a los reyes sus so-
beranos señores. E por cierto ni a Dios deuemos
ofender, aunque el rey nos lo mande; ni al rey aunque nuestro señor le quiera: E porque peruertimos
esta orden de obediencia vienen en los reinos muchas veces las guerras que leemos pasadas, e los
males que veemos presentes.

Notorio es, muy poderosa reina e señora, los
delitos e crímines cometidos generalmente en todos vuestros reinos en tienpo del rey don Enrique
vuestro hermano, cuya ánima Dios haya, por la
nigligencia grande de su iusticia, e poca obediencia de sus súbditos: la cual dió causa que
así como houo disensiones e escándalos en todas
las más de las cibdades de vuestros reinos, así
en ésta estos dos caualleros duque de Medina e

marqués de Cádiz se discordasen, e con el poco
temor de la iusticia real se posiesen en armas uno
contra otro: en fuerça de los cuales cada uno procuró de seguir su propósito en detrimento general de toda esta tierra. E en esta discordia cibdada- 5
na pocos o ninguno de los moradores della se pueden buenamente escusar de hauer pecado, desobe-
desciendo al cetro real, siguiendo la parcialidad del
uno o del otro destos dos caualleros. E dexando de
decir las batallas que entre ellos houo en la cibdad 10
e fuera della, e tornando a los males particulares
que por causa dellas se siguieron en toda la tierra,
no podemos por cierto negar que en aquel tienpo
tan disoluto no fueron cometidas algunas fuerças,
muertes e robos e otros excesos por muchos vecinos 15
desta cibdad e su tierra, los cuales causó la malicia
del tienpo, e no escusó la iusticia del rey: e estos
son en tanto número, que pensamos hauer pocas
casas en Sevilla que carescan de pecado, quier co-
metiéndolo o fauoresciéndolo, quier encubriéndolo 20
o seyendo en él partícipes o por otras vías e circunstancias. E porque de los males de las guerras veemos caídas e destruiciones de pueblos e cibdades,
creemos verdaderamente que si esta guerra más durara, e Dios por su misericordia no la remediara 25
asentando a vuestra real magestad en la silla real
del rey vuestro padre, esta cibdad de todo punto
peresciera e se asolara. E si entonces, muy excelente reina e señora, estaua en punto de se perder por

la poca iusticia, agora está perdida e muy caída por
la mucha e muy rigorosa que vuestros jueces e ministros en ella executan: de la cual todo este pueblo
ha apelado, e agora apela para ante la clemencia e
⁵ piedad de vuestra real magestad, e con las lágrimas
e gemidos que agora vedes e oís se humilian ante
vos, y os suplican que hayais aquella piedad de
vuestros súbditos que nuestro Señor ha de todos los
biuientes, e que vuestras entrañas reales se conpa-
¹⁰ descan de sus dolores, de sus destierros, de sus pobrezas, e de sus angustias y trabajos que continuamente padescen, andando fuera de sus casas por
miedo de vuestra iusticia. La cual, muy excelente
reina e señora, como quier que se deua executar en
¹⁵ los errados, pero no con tan grand rigor que se
cierre aquella loable puerta de la clemencia que face
a los reyes amados, e si amados, de necesario temi-
dos, porque ninguno ama a su rey que no tema de le
enojar. Verdad es, muy excelente reina e señora,
²⁰ que nuestro Señor tanbién usa de iusticia como de
piedad; pero de la iusticia algunas veces, e de la
piedad todas veces, e no solamente todas veces mas
todos los momentos de la vida: porque si sienpre
usase de la iusticia, segund sienpre usa de piedad,
²⁵ como todos los mortales seamos dignos de pena, el
mundo en un instante peresceria; e asimismo, porque como vuestra real prudencia sabe, el rigor de la
iusticia engendra miedo, y el miedo turbación, y la
turbación algunas veces desesperación e pecado; e

de la piedad procede amor, e del amor caridad, e
de la caridad sienpre se sigue mérito y gloria. E por
esta razón fallará vuestra excelencia que la Sacra
Escritura está llena de loores ensalçando la piedad,
la mansedunbre, la misericordia e clemencia, que 5
son títulos y nonbres de nuestro Redentor, el cual
nos dice que aprendamos dél, no a ser rigurosos en
la iusticia, mas aprended de mí, dice él, que soy
manso e humilde de coraçón. La santa iglesia católica continuamente canta: Llena está, Señor, la 10
tierra de tu misericordia, e por el continuo uso de
su clemencia le llamamos *miserator, misericors,
paciens, multae misericordiae.*

Mire bien vuestra alteza cuántas veces refiere
este su nonbre de misericordioso; lo que no falla- 15
mos veces tan repetidas del nonbre de iusticiero,
e mucho menos de rigoroso en la iusticia, por[que]
el rigor de la iusticia uecino es de la crueldad, e
aquel príncipe se llama cruel que aunque tiene
causa no tiene tenplança en el punir. E la piadad 20
oficio es continuo de nuestro Redentor, del cual
tomando enxenplo los reyes e enperadores, cuya
fama resplandece entre los biuos, perdonaron los
humildes, e persiguieron los soberuios, por remidar
a aquel que les dió poder en las tierras, entre los 25
cuales aquel sabio rey Salamon no demandó a Dios
que se menbrase de los trabajos, no de las limosnas,
no de los otros méritos del rey Dauid su padre, ni
menos de la iusticia que fizo, e penas que executó,

mas miénbrate, dixo, Señor, de Dauid e de toda su
mansedunbre: por los méritos de la cual entendía
aquel rey ganar la mansedunbre e la piadad de
Dios para remisión de sus pecados e perpetuidad
5 de su silla real.

E vos, reina muy excelente, tomando aquella
dotrina mansa de nuestro Saluador e de los reyes
santos e buenos, tenplad vuestra iusticia y derra-
mad vuestra misericordia e mansedunbre en vues-
10 tra tierra; porque tanto serés junta con su diuinidad cuanto le remidardes en las obras, e tan[to] le
remidardes en las obras cuanto fuerdes piadosa; e
tanto serés piadosa, cuanto os conpadeciéredes e
perdonáredes los miserables que llaman e esperan
15 con grand angustia vuestra clemencia e mansedunbre; la cual, muy excelente reina, deue estar arraigada en vuestra memoria, e en los concebtos de
vuestra ánima, porque se mienbre Dios de vos e de
vuestra mansedunbre e os perdone como vos per-
20 donardes, e os dé vida como vos la diéredes, e per-
petue vuestra silla real en vuestros descendientes
para sienpre, especialmente con los desta cibdad,
aunque hayan errado, considerando que entre tanta multitud de errores difícile era beuir por sola
25 inocencia. El rey don Juan vuestro padre, no sólo
en una cibdad ni en una prouincia, mas en todos
sus reinos fizo perdón general, cuando las disensiones e escándalos en ellos acaescidos con los infantes
de Aragón sus primos.

Veemos asimismo que vuestra clemencia manda poner en libertad a los portugueses que entraron
en vuestros reinos a os deseruir, e cometieron en
ellos grandes delictos e maleficios: y no solamente
los mandais poner en libertad, mas mandaislos pro- 5
ueer de vuestras limosnas, e reducirlos a sus tierras.
Reducid, pues, reina muy excelente, a los vuestros,
e la piadad que haués con los estraños hauedla con
los vuestros naturales, los cuales así como el ánima
enferma de cobdicia, aunque enbuelta en el deseo 10
de los bienes tenporales, pero sienpre sospira a un
Dios que la repare con su misericordia.

Así bien estos vuestros súbditos, aunque enbueltos en las guerras e males pasados, todavía pero
touieron un feruiente deseo de vuestra vitoria e 15
prosperidad, porque en virtud de vuestro cetro real
gozasen de paz e seguridad: la cual humilmente os
suplican que derramés en esta vuestra cibdad e tierra, porque así como damos gracias a Dios por los
males que refrenó vuestra iusticia, bien asi ge las 20
demos por la vida que nos otorga vuestra clemencia.

[LETRA XVII]

PARA EL SEÑOR DON ENRIQUE

Muy noble y magnífico señor: manda vuestra
merced que os escriua, y que no escriua consolaciones. Pláceme, señor, de lo facer; porque ni yo,
5 mal pecado, las sé enbiar, ni vos, gracias a Dios, las
haués menester. Dexemos su oficio a Dios, que es
el verdadero consolador, el cual después de la pena
da refrigerio, y después de las lágrimas derrama
misericordia.
10 Yo, muy noble señor, no mandé a mi carta
que os dixiese consolaciones ningunas; y si la he
a las manos, yo le haré que otro día no diga lo que
no le mandan. Lo que yo le mandé que dixiese a
vuestra merced es, que si buenas heridas teníades,
15 buenas os las touiesedes; porque son insineas de la
profesión que fecistes en la orden de cauallería que
tomastes. E no sé yo qué locura tomó a mi carta en

---

1   Escrita en 1483, cuando la toma de Tajara. Véase la Letra X.

parlar consolaciones que no le mandaron; porque
si bien consideramos vuestra persona, vuestra sangre, vuestra orden, vuestra ferida, e el logar do la
houistes, más es para dar alegría que para poner
tristura, ni escreuir sobre ello consolación. Y dado ᵉ
que fuese tan necio Fernando de Pulgar que presumiese enbiar consolaciones al señor don Enrique,
tanta tierra hay de aquí allá, que ya cuando las re-
cibiésedes seríades sano e llegarían dañadas, aunque fuesen en escaueche. Ciertamente, señor, la 10
consolación que no va enbuelta en algún remedio
no vale un cornado; y por eso cuando no puedo remediar no curo de consolar. Entiendo yo, señor,
que más descansa omme contando sus males propios, que oyendo consolaciones agenas, cuando no 15
dan remedio de presente o lo prometen de futuro.
Dice vuestra merced que ese vuestro enojo conos-
cés ser poco, segund lo que merecés a Dios. Creed,
señor, que nunca esa tal palabra salió sino por boca
de buen ánima; porque fallarés que el dolor, así 20
como pone desesperación a los malos, así trae contrición a los buenos: y de esa tal palabra os deués
más arrear teniéndola en el coraçón, que de la ferida que teneis en el pie.

[LETRA XVIII]

Para el prior del Paso

Reuerendo señor: si soñastes que os hauía de
escreuir una o dos veces e que vuestra reuerencia
no me responda a ninguna, no creais en sueños,
5 porque los más son inciertos. Verdaderamente ju-
rado hauía *in sancto meo* de no escreuiros, saluo
porque la ira que me puso vuestra nigligencia me
quitó vuestra bondad; y aun porque vuestro amor
me costriñe e vuestro temor me manda que os es-
10 criua muchas letras, por hauer sola una que me dé
tanta consolación ogaño en este destierro, como me
dió vuestra visitación antaño en la dolencia

Escreuidme, reuerendo señor, si de la salud cor-
poral estais bien; que de la espiritual sé cierto que
15 no estais mal.

Vuestro fray Diego de Çamora vino aquí; si tan
bien libró los negocios que traía como despachó
unas calenturas que le vinieron, sé que va bien li-
brado. *Valete.*

[LETRA XIX]

Para el conde de Cifuentes que estaua preso en Granada

Muy noble señor: agora que se va entibiando el sentimiento que houe de vuestra prisión, y arde el deseo que tengo de vuestra libertad, querría escre- 5 uir a vuestra merced algo que aprouechase: pero fallo que la libertad que vos haués menester yo no la puedo dar, y la consolación que podría darvos no la haués menester; porque entiendo que vuestro seso os la dará sin ayuda del ageno; y aun déxolo 10 porque tengo creído que estas consolatorias que se usan consuelan poco cuando no remedian algo.

Muy noble señor, si considerais quién sois, y el oficio que tomastes, y el por qué e el cómo y dónde os prendieron, creo haurés alguna paciencia 15 en ese trabajo do estaes; y si no la houieredes, no sabría por agora deciros otra consolación, sino que

---

3 Escrita en 1483, fecha de la derrota de la Atar- jía, donde el conde de Cifuentes, don Juan de Silva, fué hecho prisionero. Cf. *Crónica*, cap. CXLVI.

preso con paciencia o preso sin paciencia, más vale
preso con paciencia.

Las nueuas de lo que la reina face y quiere facer,
tan bien os la dirán los moros de allá como los cris-
5 tianos de acá, y por eso no os las escriuo.

Plega al muy alto Dios que presto os vea más
libre.

El traslado de una letra que houe enbiado a un
cauallero desterrado del reino os enbío: léala vues-
10 tra merced, y obre la vuestra deuoción.

---

6   Las otras eds.: «pronto os *veamos* libre». La Letra
de que envía traslado es la número II.

[LETRA XX]

Para don Inigo de Mendoça, conde de Tendilla

Muy noble señor: como a amigo no me podés comunicar vuestras cosas, porque la desproporción de las personas niega entre vuestra señoría e 5 mí el grado de la amistad; ni menos las rescibo como coronista, pero como el mayor seruidor de los que tenés, os tengo en merced hauérmelas escrito por estenso. Crea vuestra señoría que lo que sentís, deseais y querés en ellas, quiero, siento y 10 deseo.

El trabajo que houistes *in reducendo comilitones ad viam* paresce bien obra de vuestras manos: y si de otra guisa se ficiera, touiérades guerra, no sólo con los enemigos, mas con los vuestros. Porque *ubi* 15

---

1 Año 1482, en que tuvo lugar la toma de Alhama. Cf. Pulgar, *Crónica*, cap. CXXVII.

4 Llaguno: «la desproporción de las personas *lo* niega y *vuestro señorio no sufre tal grado de* amistad».

15 *ubi est corruptio...* Parece aludir a algún versículo o, más bien, a algún comentario sobre la Profe-

est corruptio moris, ibi est destructio mortis. Y lo
que peor y más graue fuera, touiéradesla con Dios.
Porque sin duda la diuinidad está airada contra la
humanidad que está dañada. Una de las cosas por-
5 que se perdió Roma dice Salustio en el Catilinario:
*Quia Lucius Silla exercitum, quem in Asia duc-
tauerat, quo sibi fidum faceret, contra morem maio-
rum luxuriose, nimisque liberaliter habuerat; loca
amena, voluptaria facile in otio feroces militum ani-*
10 *mos molliuerant; ibi primum insueuit exercitus
populi romani amare, potare, etc.* Alegar yo a vuestra señoría el Salustio bien veo que es necedad: pero
sofridla, pues sufro yo a estos labradores que me
cuenten a mí las cosas que vos haçés en Alhama.
15   Ciertamente, señor, como el enfermo que hauida
la salud estima mucho la medicina que primero le
amargaua, bien así creo que esos vuestros comilitones amen mucho vuestra noble persona, cuando co-
noscieren la salud que les acarreó vuestra dotrina.
20 El socorro que fecistes a vuestra gente verdad es
que es de notar *apud alios* más que *apud me*, que
conosco bien, segund quien sois y el linaje donde
venís, que ni haueis de huír los enemigos ni desam-
parar los amigos.

---

cía de Isaías. El mismo concepto aparece en la Glosa
a la copla XXVIII de Mingo Revulgo.
    11 *Bellum Catilinae,* ed. Teubnerii, Lipsiae, 1897,
página 7.

[LETRA XXI]

Señor conpadre: vi una carta que fué echada de noche y tomada entre puertas. La carta se dirigía a mi señor el cardenal, e la materia della eran iniurias dirigidas a mí; y porque sope que vino antes a vuestras manos que a las mías, y que la andáuades publicando por esa cibdad, acordé después de leída enbiarla a su señoría, pues vos no ge la enbiastes. Pidos de merced, si en algún tienpo sopiéredes quien es aquel encubierto que la fizo, le dedes esta respuesta que le fago:

Encubierto amigo: vi la carta que enbiaste a mi señor el cardenal, por la cual iniuraiais a mí, y auisais a él de los yerros que os parescieron en una mi letra que enbié a su señoría sobre la materia de los herejes de Seuilla: y cuanto toca a mis in-

---

1   Escrita, al parecer, en 1478, fecha de publicación del edicto del Cardenal Mendoza para el establecimiento de la Inquisición. Cf. *Crónica*, cap. XCVII.

iurias, si decís verdad, yo me enmendaré; si no la decís, emendaos vos. Pero como quier que ello sea, si a vos no plogo guardar la dotrina euangélica en el iniuriar, a mi place de la guardar en el perdonar:
5 e para aquí e para adelante Aquel que mandó perdonar las iniurias os perdono, y en tal manera perdonado, que ni me queda escrúpulo ni rencor contra vos; porque entiendo que aquel que busca vengança, primero se atormenta que se venga, y rescibe
10 tal alteración que pena el cuerpo y no gana el ánima. E por esto aquel Redentor y verdadero físico nuestro tanbién nos dió dotrina saludable a los cuerpos como a las ánimas cuando nos mandó perdonar a nuestros abofeteadores, segund yo perdo-
15 dono a vos por la presente las bofetadas que me dais. Allá os lo haued con Dios, que reseruó para si la jurisdición de la vindicta.

Señor encubierto, o vos fablais bien en vuestra letra, o mal: si mal, ¿por qué lo escreuís? y si bien,
20 ¿por qué os encobrís, como sea verdad que todo católico cristiano, segund que os mostrais, no deue encobrir su dotrina, y mucho menos su persona? E vos me paresce que facés lo contrario: encobrís vuestra persona y publicais vuestras iniurias, las
25 cuales deuieran ser reprehensión secreta, como dice Crisóstomo sobre Mateo, y no iniuria pública como prohibe Cristo en el euangelio.

---

1 La ed. princeps: yo me *encomendaré* (por errata).

Reprehendésme de las cosas contenidas en la letra que enbié a mi señor el cardenal: y si ella o yo fuéramos dignos de reprehensión ¿quién más ni mejor la pudiera, y aun deuiera recusar que el mismo cardenal a quien mi carta se dirigía, por ser [5] uno de los quiciales sobre que se rodea la iglesia de Dios? Pero sin duda, ni en presencia, ni por letra la reprehendió él ni otros letrados que la vieron; porque son palabras de Sant Agostín, epístola ciento e cuarenta e nueue, sobre el relaxo de [10] los hereges donatistas. Si aquellas palabras fallais ser reprehensibles, hauedlo allá con Sant Agostín, que las dixo, e dexad a mí que las alego.

Otrosí paresce que en el principio de vuestra letra me acusais de pecado de vanagloria, porque [15] dixe que esperaua su señoría mi letra: y deste pecado por cierto entiendo que no me podés emendar; porque su señoría e otros señores e doctos ommes me han escrito, y de continuo escriuen mandándome que les escriua, y es por fuerça facer lo [20] que me mandan: faced vos cesar su mando, e haurés castigado mi vanagloria.

Reprehendésme asimismo de aluardan porque escriuo algunas veces cosas jocosas; y ciertamente,

---

10   sobre el *relaxo*. Otras eds.: sobre el *paragrafo* o el *parafo*.

23   «Albardanes, bufones, los que hacen de necio y merecen albarda.» CEJADOR, ed. *Lib. de Buen Amor*, 269 y 1232.

señor encubierto, vos decís verdad; pero yo vi
aquellos nobles y magníficos varones, marqués de
Santillana don Iñigo Lopes de Mendoça, e don
Diego Hurtado de Mendoça, su fijo, duque del In-
5 fantadgo, e a Fernand Peres de Guzmán, señor de
Batres, y a otros notables varones escreuir mensa-
jeras de mucha dotrina, interponiendo en ellas algunas cosas de burlas que dauan sal a las veras.
Leed, si os place, las epístolas familiares de Tulio
10 que enbiaua a Marco Marcello, y a Lelio Lucio, y
a Ticio, y a Lelio Valerio, e a Curión, e a otros
muchos, y fallarés interpuestas asaz burlas en las
veras: y aun Plauto y Terencio no me paresce que
son reprehendidos porque interpusieron cosas jo-
15 cosas en su escritura. No creais que traigo yo este
enxemplo porque presuma conpar[ar]me a ninguno destos; pero ellos para quien eran, e yo para
quien so ¿porqué no me dexarés vos, acusador
amigo, aluardanear lo que sopiere sin iniuria de
20 ninguno, pues dello me fallo bien, e vos no mal?
Con todo eso os digo que si vos, señor encubierto,
fallardes que jamás escriuiese un renglón de burlas do no ouiese catorce de veras, quiero yo quedar
por el aluardan que vos me juzgais.
25   Asimismo decís que mi carta dice que yerran
los inquisidores de Seuilla en lo que facen, y que
se siguiría que la reina nuestra señora hauría erra-

---

13   *Plauto*. En la ed. princeps, *Platon*.

do en ge lo cometer. Yo por cierto no escriuí carta que tal cosa dixiese, y si paresce conosco tanto della que no dirá lo que no le mandé: porque ni yo digo que ellos yerran en su oficio, ni la reina en su comisión, aunque posible sería su alteza hauer errado en ge lo cometer, y aun ellos en el proceder, e lo uno ni lo otro no por malas intinciones suyas, mas por dañadas informaciones agenas. Bueno era por cierto y discreto el rey don Juan, de gloriosa memoria; pero pensando que facia bien cometió esa cibdad de Toledo a Pero Sarmiento que ge la guardase, el cual, peruertido de malos ommes della rebelló contra él y le tiró el título real, y aun tiró piedras a su tienda. La reina nuestra señora bien pensó que facía cuando confió la fortaleza de Nodar a Martín de Sepúlueda, pero alçóse con ella y vendióla al rey de Portogal. Así que, señor emendador, no es marauilla que su alteza haya errado en la comisión que fizo, pensando que cometía bien, y ellos en los procesos, pensando que no se informan mal; aunque ni yo dixe, ni agora afirmo cosa ninguna destas.

A las otras cosas que tocais de la Sacra Escritura no os respondo, porque no sé quien sois: aclaraos y satisfaceros he cuanto pudiere, y aun daros he a entender claro cómo pecais en el pecado de la mentira por me macular del pecado de la heregía.

[LETRA XXII]

Para don Grauiel de Mendoça

Noble señor: si yo sopiera el fruto tan grande que [de] vuestra absencia desta tierra en ese estudio haués conseguido, mayor precio os demandara del que os demandé por ganaros la licencia que os houe de mi señor el cardenal vuestro tío. Pero, señor, mejor proporcionastes vos, por cierto, vuestra manda con vuestra nobleza que yo mi demanda con mi cobdicia; porque si os menbraes, yo os demandé un melón, y vos, señor, me ofrescistes una mula: do se demostró en la demanda mi poca cobdicia, y en la manda vuestra grand nobleza.

Agora, señor, quiero faceros más barato aquella demanda: porque de todo mi trabajo no quiero otra cosa de vuestra merced saluo que fagais lo que escriuio Tulio en una epístola familiar a Curión, *scilicet: Ut sic ad nos conformatus reuertare: ut quam expectationem tui concitasti, hanc sustinere ac tueri possis,* etc. *Hoc enim, nobilissime domine, facile consequi posses etiam et augere.* Si lo que el

mismo Tulio ficiéredes que escriue a su fijo en el
prólogo de los Oficios, lo cual os pido de merced
que leais, si no hes leido, e fagais si no hes fecho:
aunque no creo, yo, señor, que para ésto hayais
menester persuasión mía ni de otro, pues aquella 5
vuestra natural inclinación, que con tan feruiente
deseo allá os lleuó, es de creer que faga su oficio
de tal manera, que dedes vos a otros mejor enxenplo de dotrina, que ninguno lo puede dar a vos
para la ciencia. *Et de hoc satis. Valete.* 10

---

1 Llaguno: *«Si ficiéredes lo que el mismo Tulio escribe.»* En el mencionado lugar *De Officiis,* Cicerón re-
comienda juntar el conocimiento de la lengua latina
con el de la griega, y el de la filosofía con el estilo fo-
rense.

[LETRA XXIII]

Para su fija monja

Muy amada fija: pocas palabras te fablé desde que nasciste fasta que, conplida la hedad de doce años, escogiste ser consagrada por la bienauenturança venidera: y porque soy tenudo como próximo y deudor como padre, no por premia que me fuerça, mas por caridad que me obliga he tenido cuidado de te pagar lo que es razón de te fablar. Porque mayor es el pensamiento que el buen pagador tiene para pagar, que premia le puede fazer el duro creedor para ser pagado.

Verdad es, fija, que la hora que yo e tu madre te vimos apartar de nosotros, y encerrar en ese encerramiento, se nos comovieron las entrañas, sintiendo aquel pungimiento que la carne suele dar al espíritu. Pero después que la razón usando de su oficio nos fizo pensar cómo en esa angostura de tenplo gozas de la anchura del paraíso, estonces nos esforçamos a vencer la tentación de la carne, y gozamos de la clara vitoria que suele gozar el ánima.

Léese de Sócrates que en la pared de sus escuelas hauía escritos dos versos; el uno decía: Si vencidos de la torpe tentación os deleitardes en cosa fea, el deleite será momentáneo, y la mácula de la vileza os acusará para sienpre. El otro decía: Si sintierdes pena en el conbate de la tentación carnal, el trabajo del conbate durará poco, e la gloria del vencimiento durará mucho. Y cierto deuemos creer que Dios da gracia para vencer al que tiene osadía para resistir, y para este vencimiento grande aparejo, por cierto, es el sacudir los malos pensamientos, tanbién los que engendran molleza de la carne como los que nos traen a odio del próximo. El Sabio dice que las imaginaciones malas nos apartan de Dios.

Fallarás, amada fija, que del mismo Sócrates dice Valerio Máximo estas palabras: Sócrates, casi un oráculo de diuina sabiduría, ninguna cosa mandaua que pidiesemos al Dios inmortal, sino que nos diese bien. Y no fallaua este filósofo que deuía ser en nuestro arbitrio la electión del bien que pediesemos; porque muchos procuraron riquezas que los troxieron a la muerte. Otros, decía él, que con gran diligencia procuraron oficios que los troxieron a perdición. Otros houo que procuraron casamientos, pensando por ellos hauer bienauenturança y fueron causa de su pobreza y deshonra.

---

14   *El Sabio*, Salomón. Cf. pág. 97-6.

Así que determinaua aquel filósofo, que la electión
del bien que deseamos deuíamos remitir al dador
de los bienes, porque aquel que los hauía de dar
los sabría escoger. En el euangelio de Sant Mateo
5 dice que Dios, nuestro Padre, sabe lo que nos es
necesario ante que lo pidamos: y sin duda es de
creer que el facedor de los vasos sabe cuánto cabe,
y a cada uno da segund su medida: y si algúnd en-
gañado de afectión toma oficio ageno de su habili-
10 dad, el elector y lo elegido veemos que se pierde.
Sant Agostín en el libro de la Cibdad de Dios dice,
que así como no procede de la carne lo que la carne face beuir, bien así no procede del omme, mas
sobre el omme es lo que al omme face bien beuir.
15 Esto considerado, damos gracias a Aquel verdadero escogedor que te dió gracia para elegir aquello
que desde tu niñes te vimos inclinada, porque puedas bien beuir en esta, e ir a buen logar en la otra
vida. Y pues por la gracia de nuestro Redentor
20 has fecho profesión en la santa religión que escogiste, verdad es que yo no puedo saber cómo te va
allá; pero quiérote decir cómo te fuera acá si esta
otra vía escogieras.

Lo primero que te conuenía facer era entrar en
25 la orden del matrimonio, la cual ordenó Dios y
es por cierto santa y buena a los que en ella bien
se conseruan; pero no entiendas que en buscar
marido a la fija, ni aun después de hallado sea
pequeño cuidado a los padres y a la fija. Y de-

xando agora de decir los enojos y desabrimientos
que a las veces en ésto se siente, Sant Agustín en
el libro de la Cibdad de Dios pinta este mundo
segund aquí verás: El omme, dice él, no puede
estar sin trabajo, sin dolor y sin temor. ¿Qué di- 5
remos del amor de tan vanas y enpecibles cosas, y de los cuidados que muerden, las pertur-
baciones, las tristezas, los miedos, los locos gozos,
las discordias, las lides, las guerras, acechanças,
iras, enemistades, mentiras, lisonjas, engaños, hur- 10
to, rapiña, porfía, soberuia, anbición, enbidias,
omicidios, muertes de padres, crueldades, asperez-
zas, maldades, luxuria, osadía, desvergüença, vi-
lezas, fornicaciones, menguas, pobrezas, adulterios
de todas maneras, y otras suciedades que decirse 15
es cosa torpe, sacrillejos, heregías, periurios, opre-
siones de los inocentes, calunias, rodeos, preuari-
caciones, falsos testimonios, inicos juicios, fuerças, ladronicios, y otras cosas semejantes que no
me vienen a la memoria, pero no se apartan des- 20
ta vida? E ciertamente estas cosas son de los malos ommes, procedientes de aquella raís del error
y peruerso amor, con el cual todo fijo de Adan
es nascido, etc. Otrosí dice que quién es aquél
que no conoce cómo el omme viene en esta vida 25
con inorancia de verdad, la cual se manifiesta en
él cuando era niño, y con abundancia de vana
cobdicia, mostrada en él cuando era moço, de
manera que si le dexasen beuir como quiere y

facer lo que quiere, cometería todas o muchas de
las maldades y peruersidades que arriba dice, y
otras que decir no puede. Asimismo dice que para
qué son los miedos falsos que ponemos a los ni-
5 ños, y para qué son los açotes y palmatorias de
los moços, y el cetro de la iusticia que está enhies-
to para contra los malos, sino para los temorizar
y refrenar la maldad a que la natura humana es
inclinada. Dice más adelante: ¿Qué es ésto, que
10 con trabajo tenemos memoria, y sin trabajo la per-
demos; con el trabajo aprendemos, y sin trabajo
no sabemos; con el trabajo somos fuertes, y sin
trabajo somos sin arte? ¿Qué diré, dice él, de los
trabajos inumerables con que el cuerpo terrece,
15 conuiene saber, con heruores, con fríos, tenpesta-
des, lluuias, relánpagos, truenos, granizos, rayos,
terremotos, caídas, por ofensión y por temor, y por
malicias de ommes e de bestias, o por veninos nascidos en los frutos y en las aguas y en los aires, o
20 de los mordimientos de bestias rauiosas, tanbién
las que son domésticas, las cuales algunas veces
son más temibles que los leones y los dragones?
¡Cuántos son los males que pasan los nauegantes
y los que andan caminos! ¿Quién es el que anda
25 que no esté obligado doquier que andouiere a los

---

1   *y facer lo que quiere*. Omiten esta frase las otras
ediciones.
5   *palmatorias*. En otras eds., *palmatoriadas*.
14   *terrece*, se aterra.

casos inopinados? etc. (En el libro veinte e dos *de ciuitate Dei*).

De todo lo cual o de parte alguna de lo que aquí pone, no creas, amada fija, que ninguno de los que acá andamos se puede escusar, por vigilante y cau- 5 to que sea. Porque el Sabio en sus Prouerbios dice, que si el iusto es tentado en la tierra, cuánto más lo serán los inicos y pecadores. Y por tanto deues dar gracias a nuestro Redentor, que te dió gracia para que, dexada la solicitud, que tenía Marta, to- 10 mases la parte mejor, que escogió María, la cual te face libre de ver y sentir estas tribulaciones.

Un religioso carmelita de santa vida, cuya mocedad auía seido enbuelta en las cosas del mundo, me dixo en París que si no pecara, no aborreciera 15 tanto los pecados ni amara tanto las virtudes; ni ouiera verdadero conoscimiento para gozar con el reposo de la religión, sino conosciendo la inquietud e turbaciones que touo fuera della.

El libro de la sabiduría dice, que la religión 20 guarda y justifica y da alegría de coraçón.

Y no te engañe el pensamiento de cómo fuiste criada para ver el mundo, y en ese encerramiento no le puedes ver. Porque en verdad, fija, si lo vieses, veries una ruín cosa, y llena de todas aquellas 25 cosas que arriba pone Sant Agostín, las cuales no querríamos ver, y mucho menos sentir los que las

---

10   La ed. princeps: *tomaste* la parte.

veemos y sentimos. Y puédote bien certificar que
si el moço touiese la esperiencia que sabe el viejo,
si seso touiese, huiría del mundo y de las cosas dél;
pero la mocedad loçana, ignorante de si misma, tie-
5 ne tan fuertes los conbates de la carne, que no los
podiendo resistir, es enlazado y metido en tales necesidades, que no puede cuando quiere salir dellas.

Y porque tu entendimiento lo vea mejor, quiérote decir que de los que estais en religion a los que
10 estamos en el mundo, hago yo conparación como
de los que miran los toros de talanquera, a los que
andan corriendo por el coso. Los que andan en el
coso, verdad es que tienen una que paresce libertad para ir do quieren y mudar logares a su volun-
15 tad; pero dellos caen, dellos estropieçan; otros huyen sin causa, porque va tras ellos el miedo y no
el toro; otros están sienpre en mouimiento para
acometer o para huír; otros se encuentran y se dañan, y el que va a tirar al toro la frecha no sabrá
20 decir qué razón lleua con tanta diligencia y peligro a facer mal a quien no ge lo face, y así veo que
todos andan vagando sin término y sin sabiduría
de lo que les acaesce y puede acaescer, llenos de
miedo recelando su caída, y llenos de placer mi-
25 rando la de los otros. Los que miran de talanquera,

---

3 *Si seso toviese.* Refiérese el *seso* al viejo, porque
como se lee en la Letra I, hay «muchos viejos llenos de
días e vacíos de seso, a los cuales ni los años dieron
autoridad, ni la experiencia pudo dar doctrina».

verdad es que no tienen aquella libertad que los del
coso tienen para andar do quieren; pero están seguros de los peligros, estropieços y turbaciones que
veen padecer a los que andan por el coso: de los
cuales, si bien fueses informada, dígote que darías 5
dobladas gracias al que te subió en esa talanquera,
donde tienes quitas aquellas ocasiones de pecar de
que acá estarías rodeada, de las cuales, o de algunas dellas te seria difícile escapar si andouieses en
el coso que acá andamos; porque si vencieses la so- 10
beruia, encontrarías con la ira; y si la ira vencieses,
vencerte hía la cobdicia; y si la cobdicia tenplases,
quiçá te guerrearía la acidia, y te vencería la gula;
y si tenplases la gula, no podrias vencer la enbidia,
y atropellarte hían las feas tentaciones de la lu- 15
xuria.

Mira, verás quién se podrá defender de tantos y
tan fuertes conbates como de continuo nos face el
diablo, del cual canta la iglesia, que como león bra-
mante nos rodea buscando a quien trague; en espe- 20
cial considerando la flaqueza de nuestra humanidad, de la cual dice Job: Ni mi fortaleza es fortaleza de piedra, ni menos mi carne es fecha de fierro
para que pudiese sofrir el conbate de tantas tentaciones. Y no nos marauillemos de ser tentados 25
de los pecados, cuando nuestro Redentor fué tentado del diablo. Y Sant Pablo en una epístola a

---

13   *acidia*, pereza.

Tito dice que algunas veces fué inorante, incrédulo, errante, seruidor de deseos y deleites varios, con malicia, con enbidia, aborrescible y aborrescido. Verdad es que en alguna manera deuemos ser ale5 gres en auer seido pecadores; porque a las veces ganamos más en la penitencia que facemos, que perdimos en el pecado que cometimos; lo cual veemos en el mismo Sant Pablo y en Sant Pedro, y en la Madalena, e en otros muchos a quien la gran
10 contrición que ouieron de los pecados que cometieron los troxo al excelente grado de gloria que tienen. Y por cierto, amada fija, si otro conbate no touiesemos, saluo el de la cobdicia, nos sería asaz graue de sofrir, considerando las muertes y otros
15 daños que della se siguen. Y quiérote traer aquí a propósito una fablilla que acaesció a un raposo con un asno.

Segund cuenta esta patraña, el león, que es el
20 rey de los animales, quiso facer cortes, a las cuales concurrieron los principales animales: y dice, que como este rey león tenía, o deuía tener, la condición noble y las orejas sinplicísimas, creía todo

17   Hay versiones más breves del siguiente apólogo en *Calila e Dymna*, donde el consejero del león es lobo cerval y no raposo, y en el *Exemplario contra los engaños del mundo*, Zaragoza, 1531, de consulta relativamente fácil éste, en la reproducción facsímile hecha en 1934 por la Cámara Oficial del Libro, de Madrid.

lo que los otros animales principales le decían. El
raposo, que era artero, le decía:

—¡Oh rey! Mal lo miras, si todo cuanto te dicen
crees; porque muchos vienen a tí, dellos con mentiras coloradas, dellos con malicias que tienen 5
imagen de bondad. Otros facen su fecho mostrando que facen el tuyo: y has de creer que estos
grandes animales desean tener libertad, y sacudir
de sí el yugo de su subiectión, y auer de tu patrimonio para facer a ellos poderosos, y a ti flaco, 10
porque no los puedas castigar, y pierdas tu autoridad; la cual perdida, no serás obedescido, y tu
justicia se enflaquecerá, y los delictos crecerán y
tu reino se perderá. Para mientes que los oficios
más veces se conseruan con las virtudes, que las 15
virtudes se ganan con los oficios. Necesario has
buen seso para sentir, y buen consejo para dicer-
ner, y buen esfuerço para executar.

El raposo, por el logar que mediante estos auisos
tenía con el rey, era enbidiado. Los animales mayo- 20
res, caídos del grado que pensauan merecer cerca
del rey, e que el raposo les era peligroso, buscaron
cómo lo apartar de la oreja del león, y propusieron
ante él que la principal cosa en que se deuía entender era en su salud: y porque esta no se podía 25
alcançar saluo con seso y coraçón de asno, el raposo, que era discreto y diligente, deuía ir por él.

El raposo, conosciendo que lo apartauan del
león, le dixo:

—Mira que éstos más lo facen por apartar a mí
que por seruir a ti.

El león, visto que todos los grandes animales se
conformauan, fué constreñido a lo enbiar.

5   El raposo, yendo en su camino, falló un asno
paciendo en un prado, y díxole:

—Tú ¿por qué no vas a la corte donde van todos los animales?

El asno le respondió:

10   —Porque paso aquí mi vida lo mejor que puedo,
y no sé qué cosa es corte, ni lo quiero saber.

Respondió el raposo:

—No saber es mal, y no querer saber es peor.
¿Por qué rehusas de ir do se auisan los animales, do
15   alcançan fama, y donde la gracia y la dicha de
cada uno ha logar de se enplear en grandes cosas
y auer grandes bienes?

Respondió el asno:

—No tengo uso para entre tal gente.

20   Dixo el raposo:

—El mayor trabajo es principiar, y la plática
te hará maestro.

El asno, vencido de cobdicia, dexó su abrigo y
va en conpañía del raposo; e como llegasen a un
25   logar, el asno quiso holgar. El raposo le dixo:

—Si quieres ser rico y honrado has de ser verdadero y diligente, porque el perezoso holgando,
pena deseando.

El asno, remitido a la gouernación del raposo,

llegó a la corte, donde vido la presencia espantable del león, y vido la grandeza de los otros animales, e cobdició ser como uno dellos. El león fízole gracioso recibimiento, y a pocos días, como pensó de le matar, mudó la voluntad buena y començole 5 a mostrar la cara feroce. El asno, visto que el rey no le miraua como solía, boluió las espaldas y tornose a su prado. El raposo acusó al león e díxole:

—Cuando touieres indignación y acordares prender a alguno, juntamente ha de ser la indignación 10 con la execución; si no, nacerte ha tal escándalo que serás deseruido.

El león, conoscida su mengua, le rogó que tornase por el asno. El raposo, por encargar al rey con sus seruicios, fué al asno y preguntole por qué se 15 auía venido. El asno le respondió:

—Anda, vete, amigo, con tu corte; no querría el placer de su fauor, por la tristeza que sentí en el disfauor.

Dixo el raposo: 20

—¡Cómo eres inorante! Sábete que en las cortes con el fauor no te conoscerás y con el disfauor no te conoscerán.

Dixo el asno:

—No tengo ninguno de mi linaje que me honre 25 ni ayude.

Respondió el raposo:

—Serás tú el primero que aurás la gloria de los que despiertan memoria a los de su sangre.

El asno, metido en la cobdicia, acordó de boluer con el raposo, y díxole:

—Yo quiero tornar; mas si no lo hallo como quiero, no me hallará como quiere.

5 El león, después de algunos días, quiso echar las uñas al asno y no pudo. El asno, como lo sospechó, huyó y tornó a su logar. El raposo, visto como auía perdido su trabajo, reprehendió la negligencia del rey, e començole a recontar los 10 trabajos que auía pasado en traer dos veces al asno. El león le dixo:

—¿Quieres que te diga? Si alcançamos el fin, relucen los trabajos, y si no han efecto, no esperes galardón, porque el fin de la cosa se mira más que 15 los medios.

El raposo, por no perder lo seruido, tornó por el asno y díxole:

—Marauíllome estando en el dulçor del sobir poderlo dexar y venirte. Cata que ser criado entre 20 nobles y escoger vida entre rústicos no procede de buen ingenio.

Respondió el asno:

—Si me castigas con rigor, antes me harás tu enemigo que tu corregido, y primero ganarás ene-25 mistad para tí que emienda para mí.

Respondió el raposo:

---

19   Las otras eds.: «el dulçor de subir *a poderoso dexar-lo* y venirte».

—Necio eres si miras en la forma del corregir, y no en la manera de tu emendar.

El asno le respondió:

—Dígote que esta vida es tan corta, que antes nos morimos que nos emendamos, y por tanto te ruego que dexes de emendarme y cures de proueerme. Sábete que me vine porque quisiera yo luego algund oficio para poder cargar a otros, como otros cargan a mí.

Respondió el raposo:

—Si tu quieres oficio ageno de tu natural, perderás a ti y al oficio.

Dixo el asno:

—Tanbién sospeché que el león me quería prender o matar.

Dixo el raposo:

—Tu absencia te condena, aunque seas linpio de crimen. Anda acá conmigo, dixo el raposo, y tu presencia quitará la sospecha, porque los miedos vanos nunca los concibió buen seso.

Dixo el asno:

—No querría estar en logar do he de facer cara contraria a mi voluntad, y do peno deseando que me den y recelando que me quiten.

Dixo el raposo:

—Y ¿dó estarás que no penes con eso?

Dixo el asno:

—Bien estaua aquí, donde huelgo más y peco menos; pero anda, allá vamos. Bien veo que si al

principio no te creyera, cuando despertaste mi cobdicia, no fuera metido en necesidad forçosa, como
al comienço fué voluntaria.

Entrados en la corte, el león echó las uñas en el
5 asno, y mandó al raposo que troxiese los sesos y
el coraçon. El raposo, visto los sesos y el coraçón
del asno, comiólo y dixo al león que no le auía fa-
llado ningún seso ni coraçón. El león, marauillado
cómo podía ser animal sin seso y sin coraçón, res-
10 pondió el raposo:

—Creer deues por cierto, señor, que si este animal touiera seso y coraçón no lo troxiera la cobdicia tres veces a la corte, donde perdió la vida por
ganar facienda.

15

Muy amada fija, este enxenplo te he traído en el
cual verás allá todo lo en que andamos acá; y puedes creer que no digo muchos, mas infinito es el
número de los que tenemos tan poco seso y coraçón
20 como el asno; porque teniendo suficiente proveimiento, no dexamos de cometernos a los vayuenes
de la fortuna, y vamos tres y más veces donde los
engaños del raposo nos lleuan.

Otros hay que no se mueuen por necesidad que
25 hayan a las cosas, sino porque veen mouer sus vecinos a ellas. Otros veo que, dexados los oficios que
tienen útiles a la vida, se meten, a fin de holgar, en
negocios inpropios a su habilidad, y dañosos a
ellos y a la común utilidad de todos, donde proce-

den los males que contecieron al asno, y los que
arriba dice Sant Agostín.

Y si me dixieres que estás ahí encerrada, dígote
que así lo están acá las buenas. Y si sientes estar
subjeta, así mandó Dios que lo fuesen todas. Si no 5
gozas con la conpañía del marido, asi estás libre
del dolor del parto. Si no gozas con la generación
de los fijos, tanpoco te atormentan sus muertes y
sus cuidados. Si caresces de seruidores, así estás
libre de buscar lo necesario para los proueer. Si te 10
holgaras con tus iguales, así penaras en sofrir la
enbidia de tus desiguales. Y en conclusión, si no
puedes decir ni facer lo que quieres, asi estás libre
que no te digan ni te hagan acá lo que no quieres,
y de los otros infinitos males que arriba dice Sant 15
Agostín.

Nota bien, amada fija, que el sabio Salamon dice
que el prudente se asconde cuando vee el mal, y el
loco pasa y padesce infortunio. Y en el salmo treinta, que comiença *in te Domine esperaui*, dice estos 20
versos: ¡Oh, cuant grande es la muchedunbre de la
dulçura tuya, Señor, que escondiste a los que te temen! Esconderlos has de las turbaciones de los ommes en el escondimiento de tu cara; defenderlos has
en tu tabernáculo de la contradición de las lenguas. 25

Y porque tú, por la gracia del muy alto Dios,
estás en ese tabernáculo diuinal escondida de todas
estas contradiciones, y gozas de aquella corona
preciosa de la virginidad de que gozan las vírgenes

en el paraíso, resta agora decirte que tengas ante
tus ojos cuatro cosas.

La primera, te encomiendo que sienpre tengas y
creas firmemente la fe católica de nuestro Saluador
5   y Redentor Jesu Cristo, y aquello que la santa madre Iglesia suya cree y tiene; porque ninguno se
puede saluar sin fe, la cual Sant Gregorio dice que
carescería de mérito si se creyese por razón.

La segunda, te encomiendo que seas mansa y hu-
10   milde: y pára bien mientes que en el quinto capítulo del euangelio de Sant Mateo dice que nuestro
Señor en el monte abrió su boca y dixo: Bienauen-
turados los pobres de espíritu. No dixo pobres de
bienes, ni de oficios, ni de cargos, si bien los minis-
15   tran; mas dice, que como quier que tengamos abundancia destas cosas, no seamos con ellas arrogan-
tes ni vanagloriosos. Item, manda que seamos
mansos, y poseeremos la tierra: y esto veemos por
esperiencia, porque nunca vi soberuio que durase
20   mucho en ella, ni en el amor de las gentes; y veemos que los mansos y de blanda condición son tan
agradables en su conuersación, que ganan la gracia de las gentes, e alcançan honras e bienes.

Sant Pedro en una canónica dice, que Dios resis-
25   te a los soberuios, e da gracia a los humildes. Y si
algun émulo o aduersario touieres, no te pese: porque no es siempre malo tener el omme algun conpetidor o contrario, porque entonces fallarás que es
bueno cuando por miedo de la reprehensión de mi

émulo dexo de fazer cosa fea, y cuando me refreno
de algunos vicios que [no] me refrenaría si el miedo
del conpetidor no touiese presente. Verdad es que
beuir omme sin emulación, aquesto es lo más seguro; pero cuando la malicia del tienpo lo criare, nin- 5
gún remedio más cierto tenemos que beuir tan linpios de reprehensión que quebremos los ojos al re-
prehensor.

Otrosí deues, fija, tener ante tus ojos una verdadera e no fengida obediencia a tu mayor. Y mira 10
bien que dice el euangelio, que el dicípulo no ha de
ser sobre el maestro, ni el sieruo sobre el señor. Y
el apostol dice a los romanos, que toda ánima sea
súbdita a su mayor, porque todo poder es dado por
Dios, y quien resiste a su mayor, resiste a Dios. Y 15
por cierto si bien mirado es, mucho mayor cuidado
deue ser el mandar que el obedescer; porque aquel
que manda ha de trabajar el espíritu, considerando
qué es lo que manda y [a] quién lo manda, e en qué
tienpo, e por qué, y para qué, [e] todas las otras ca- 20
lidades que se deuen mirar en la gouernación. E si
buen gouernador es, sienpre estará en pensamiento
si aurá o no aurá buen fin lo que manda. Sant Gregorio en los Morales dice que cualquier presidente
que tiene cargo de ministración sienpre está puesto 25
en los encubiertos tiros del enemigo; porque cuando
trabaja por prouveer las cosas presentes, a las veces,
no mirando, daña las futuras. Así que el que manda
pende de muchas cosas: e el que obedece, de sola

una. Obedeciendo paga su deuda, y no tiene de
dar cuenta si es mal mandado, pero darla ha si no
es bien obedescido. Y veemos por esperiencia que
las casas, las órdenes, las cibdades, las prouincias
5 e los reinos duran y relucen con la obediencia, y
caen e se pierden por la inobediencia de los rebeldes. Y si por ventura algun cargo touieres de gouernación, por Dios mira que seas en él tan vigilante, que tu negligencia no acarree mengua: en
10 especial deues mirar que no seas traída por afectión
de personas. El euangelio dice: Sabemos, Señor,
que eres verdadero y que no miras la cara de ninguno, mas la vía del Señor muestras con verdad.
E así como el salmo dice que acerca de Dios no hay
15 acebción de personas, menos la deue auer cerca de
los gouernadores; porque allí cosquea la razón del
gouernador, do se mira linaje, o afectión, y no virtudes e abilidad
   Sant Jerónimo en un prólogo a los romanos y
20 a los judios que se gloriaban de linaje, les reprehende diciéndoles: En tal manera os gloriais de linaje como si las buenas costumbres no os ficiesen
fijos de los santos, mejor que el nacimiento carnal.
E el Boecio *de consolación* dice que ninguno hay de
25 mal linaje, saluo aquel que dexada la vía de la
virtud es maculado con las malas costunbres.

---

7   Las otras eds.: algún cargo *de gobernación te dieren.*
16 *cosquear,* o coxquear, cojear. Dic. Aut.
25 *mal linaje.* Las demás eds. omiten la palabra *mal.*

La tercera cosa que te encomiendo es que tengas
caridad, sin la cual ninguno en esta vida puede ser
amado, ni en la otra bien rescebido. Sant Pablo
dice: Si fablare las lenguas de los ommes e de los
ángeles, y no tengo caridad, no es otra cosa sino ⁵
una canpana que suena. E si touiere espíritu de
profecía e touiere tal ingenio que sepa todos los
misterios e toda la ciencia, e touiere tanta fe que
pueda traspasar los montes, y no tengo caridad,
no vale nada. E si diere a comer toda mi facien- ¹⁰
da a los pobres, e no tengo caridad, no me aprouecha nada. La caridad es paciente e benigna,
la caridad no es enbidiosa, no tiene maldad, no
es vanagloriosa ni soberuiosa, no es anbiciosa, no
busca lo ageno, no piensa mal, no se goza con ¹⁵
lo malo, gózase con lo verdadero, todo lo sufre,
todo lo cree, a todo sobrepuja, todo lo sostiene.
Esto dice Sant Pablo a los corintios en los trece
capítulos.

Y ¿quieres amada fija, que te diga qué cosa es ²⁰
caridad? A mí paresce que es un comouimiento que
sienten las entrañas del caritatiuo, conpadeciéndo-
se cuando vee alguno padecer mengua o angustia,
quier de consejo, quier de ayuda o de consolación,
o de otra alguna necesidad. E el caritatiuo usa des- ²⁵
ta caridad ayudando al necesitado; calla callando
sin publicar el ayuda que él face, ni la mengua que
el menguado padece: e esta caridad se deue usar
con todos los ommes. E como quier que somos in-

clinados a desamar a los malos como a malos, pero
piadosa cosa es amarlos como a ommes, porque en
lo uno amamos la naturaleza nuestra, e en lo otro
desamamos la malicia agena.

5   La cuarta es rogarte, pues tienes oficio de orar, y
estás en casa digna para lo facer, que ruegues a
Dios por mí y por tu madre, e en ésto nos pagarás
la deuda que nos deues, como facen las cigüeñas
que mantienen a sus padres cuando enuegecen otro
10   tanto tienpo como ellos mantouieron a los fijos
cuando eran pollos. Y tu, amada fija, si criándote
en nuestra casa ouiste alguna buena doctrina, deues
pagárnosla en oraciones agora que somos viejos, y
las auemos menester. E acerca de la manera del
15   orar, Helías el profeta decía que Dios oya por el
fuego, conuiene saber, por el ardor de la deuoción.
Así que la oración se deue facer con todo coraçón,
y con todo el entendimiento, sin nos trasponer
cuando oráremos en pensamiento ageno de lo que
20   oramos; porque ya vees cómo estará Dios con nosotros para nos oyr, no estando nosotros con él para
le rogar. E por cierto, burla paresce fablar y no
tener el pensamiento en lo que fablamos; porque
esta tal fabla ni nosotros la sabremos decir, ni el
25   que la oye la querrá entender, e mucho menos facer.
E porque sepas mejor cómo has de orar, trasladé de

------

1   Las demás eds.: desamar a *los buenos como a* los
malos.

latín en romance para te enbiar la oración domini-
ca del *Pater noster*, con la esposición que fizo Sant
Agostín.

Plega a nuestro Señor y a la Reina de los cielos
que te dexe perseuerar en su seruicio, porque al fin 5
hayas santo y entero gualardón, e te dé gracia para
rogar por nosotros.

---

3   Nos es desconocida esta traducción de Pulgar. Las
versiones romanceadas de los opúsculos de San Agustín
no son infrecuentes en mss. del siglo xv, e importaría
revisar las colecciones de nuestras principales biblio-
tecas.

[LETRA XXIV]

[Para cierto cauallero]

Señor: mandais que os escriua mi parescer cerca del casamiento que se trata de vuestro sobrino.
Ciertamente, señor, las cosas que suelen acaescer
5 en los casamientos son tan varias y tanto fuera del
pensamiento de los ommes, que no sé quién ose
dar en ellas su parecer determinado, en especial
porque si la cosa subcede bien, no es agradescido
el consejo, e si acude mal es reprehendido el con-
10 sejero. Querría, señor, preguntaros qué parecer
puede ninguno dar en los casamientos cuando en
los amores que tenía el otro vuestro primo vimos
el estudio que tenía en el traer y la vigilança en el
seruir, e qué temor hauía de enojar, y qué humil-
15 dad en el rogar, qué deleite en el contenplar, y qué
diligencia en el visitar, qué alegría en el fauor, e
qué tristeza en el disfauor, qué obediencia en el
mandamiento, y qué alegría en ser mandado, qué

---

1   Carece de epígrafe en todas las ediciones.

deuoción en el mirar, e qué placer en el amar, qué
velar, qué madrugar, qué auenturar, qué posponer,
qué sofrir, qué acometer, qué trabajar, e cuantas e
cuáles penas y congoxas tenía en el continuo pensar, e qué primores escreuía, y qué locuras a las 5
veces decía.

Ciertamente, señor, muchas son las variedades
que se rebueluen toda hora en el pecho del ena-
morado, e grandes son las penas que le deleitan,
e grandes son las sospechas que le penan; de las 10
cuales cosas si sólo una ficiese por amor de Dios,
como face por amor de amiga, entiendo que en
cuerpo y ánima iría al paraíso. Y vistes cómo
después que alcançó por muger la que adoraua por
señora, dentro de dos años houo entre ellos tal dis- 15
cordia que buscaua causa para auer diuorcio della.
Y ciertamente, señor, no nos marauillemos si qui-
riendo él mandar como marido, fuese a ella graue
ser tan presto subjecta de aquel que fué algun tienpo señora. 20

Tanbién vistes la fuerça y la manera que fué
menester para traer el otro vuestro sobrino a que
concluyese el casamiento que fizo, y veemos agora
como, dexado el aborrescimiento que primero tenía, poco a poco se le conuertió en un amor tan 25
feruiente e tan loco, que se ha desnudado, no sólo

---

26 *desnudado*, en la acepción de desapropiarse o
apartarse de una cosa. La ed. princeps, por errata, dice
desmudado.

del poder, y del entender, más del querer y del
saber, e está remitido todo a la muger que primero aborrescía; la cual le tiene tan subjecto, que
le manda lo que quiere, y como y cuando le place,
5 e le defiende, e le castiga, y le quita lo que quiere,
e le da lo que le place: y el mancebo es ya venido en tan grand estremo de subjectión, que ni
osa repugnar lo que le manda, ni dexa de facer lo
que ella quiere, aunque él no lo quiera, e obedece
10 el triste como seruidor, e sufre como sieruo.

Destos dos estremos, éste diría yo, señor, que se
deue huír, por ser muy ageno de todo varón y de
toda razón; e también porque face poco en honra
de la muger tener marido que no vale nada.

15 Así que, señor, porque la prudencia es la que go-
uierna, e no consiente fealdad en las cosas, si en-
tendés que [no] la hay en alguna de las partes, pues
la doncella es buena e fija de buena, concluidlo en
ora buena.

---

4   En las demás eds.: lo que quiere e como e cuando *lo quiere e le aparta cuando le paresce e le llama cuan-*
do le place e le defiende, etc.

[LETRA XXV]

Para el obispo de Coria, dean de Toledo

Reuerendo señor: incrépame vuestra merced porque no escriuo nueuas de la tierra: ya, señor, estó cansado de os escreuir generalmente algunas veces pero me he asentado con propósito de escreuir particularmente las muertes, robos, quemas, injurias, asonadas, desafíos, fuerças, juntamientos de gentes, roturas que cada dia se facen *abundanter* en diuersas partes del reino, y son por nuestros pecados de tan mala calidad, e tantas en cantidad, que Trogo Ponpeo ternía asaz que facer en recontar solamente las acaescidas en un mes.

---

1 Año 1473. Véase la semblanza de don Francisco de Toledo, obispo de Coria, en los *Claros varones*, título XXIII. Clemencin, *Elogio*, págs. 124 y sigs., publica esta carta con minuciosas anotaciones que esclarecen los numerosos hechos y personas a que en ella se hace referencia. Don Francisco, descendiente de conversos, escribió el primer *Tizón de la nobleza de España*, dirigido al obispo de Cuenca, don Lope Barrientos.

Ya vuestra merced sabe que el duque de Medina con el marqués de Cádiz, el conde de Cabra con don Alfonso de Aguilar, tienen cargo de destruir toda aquella tierra del Andalucía y meter moros
5 cuando alguna parte destas se vieren en aprieto. Estos sienpre tienen entre sí las discordias biuas e crudas, y crescen con muertes, con robos que se hacen unos a otros cada día. Agora tienen tregua por tres meses porque diesen logar al senbrar, que
10 asolana toda la tierra, parte por la sterilidad del año pasado, parte por la guerra que no daua logar la labrança del canpo. Los hermanos del duque, muertos en batalla; los caualleros, de una parte e de otra, todos robados, desterrados, omiciados, y
15 enemistados con guerras y recuentros cada día de uno e otros en toda aquella Andalucía, tantos que serían difíciles de contar.

Del reino de Murcia os puedo bien jurar, señor, que tan ageno lo reputamos ya de nuestra naturale-
20 za como al reino de Nauarra; porque carta, mensajero, procurador, ni quistor ni viene de allá, ni va de acá más ha de cinco años.

La provincia de León tiene cargo de destruir el clauero que se llama maestre de Alcántara, con al-
25 gunos alcaides y parientes que quedaron subcesores en la enemistad del maestre muerto. El clauero, *siue* maestre, sienpre duerme con la lança en la mano, veces con cient lanças, veces con seiscientas. El señor maestre de Santiago ayuda a la otra parte:

unos dicen que por recobrar a Montanches, que es
llaue de toda aquella tierra, e ge la tiene el clauero
ocupada; otros dicen que por auer el maestradgo
de Alcántara. Baste saber a vuestra merced que
aquella tierra está toda llena de gente de armas, 5
para saber cómo le deue ir.

Deste nuestro reino de Toledo tienen cargo Pe-
drarias, el mariscal Fernando, Cristobal Bermudes,
Vasco de Contreras. Leuántanse agora otros mayores, *scilicet*, conde de Fuensalida, conde de Cifuen- 10
tes, don Juan de Ribera, Lopes Ortiz de Estúñiga,
Diego Lopez de Haro fijo de Juan de Haro, despo-
sado con la fija del conde de Fuensalida, la que
auía de ser condesa de Cifuentes. Estos facen guerra porque los dexen entrar en sus casas: si entran, 15
como son de mala yacija, nunca estarán quedos
dentro; si no entran, nunca estarán quedos fuera
con deseo de entrar. Si entran algunos que se trata que entren, los que quedaren fuera de necesario bollecerán por entrar; de manera que no sé por 20
qué pecados aquella noble cibdad rescibe tan grandes y espera rescebir mayores puniciones. ¿Qué diré
pues, señor, del cuerpo de aquella noble cibdad de
Toledo, alcaçar de enperadores, donde chicos e mayores todos biuen una vida bien triste por cierto y 25
desuenturada?

---

16 *ser de mala yacija*, rigurosamente significa *de
mal dormir;* por alusión, *estar con inquietud;* por tras-
lación, *hombre de malas mañas.* DIC. AUTS.

Leuantose el pueblo con el dean Morales e prior
de Aroche, y echaron fuera al conde de Fuensalida
e a sus fijos, e a Diego de Ribera que tenia el alcaçar, e a todos los del señor maestre. Los de fuera,
5 echados, han fecho guerra a la cibdad, la cibdad
tanbién a los de fuera: y como aquellos cibdadanos
son grandes inquisidores de la fe, dad qué heregías
fallaron en los bienes de los labradores de Fuensalida, que toda la robaron *usque ad ultimum*, e que-
10 maron e robaron a Guadamur e otros logares. Los
de fuera, con este mesmo celo de la fe, quemaron
muchas casas de Burguillos, e ficieron tanta guerra
a los de dentro, que llegó valer en Toledo sólo el
cocer de un pan un marauedí, por falta de leña. El
15 rey es ido allá, e fizo ir con él al conde de Saldaña,
porque los unos y los otros lo ponen en su mano.
Plega a Dios que yo sea incierto adeuino, porque
yo creo que no podrá sentenciar el conde; e si sen-
tenciare, no se obedescerá; e si se obedesciere, no
20 se conplirá; y conplido, no durará, ni la razón da
posibilidad para ello. El que más en ésto a mi ver
ha perdido es el señor conde de Fuensalida, no
tanto de sus rentas e bienes que le han quemado e
tomado, aunque es asaz, cuanto de la autoridad
25 que por el oficio e por su persona tenía en aquella
su naturaleza. Esto digo porque la cosa va tan rota
contra él, que fué por la cibdad llamado Alfonso
Carrillo, al cual entregaron la vara del oficio de
alcaldía mayor. El subceso que aurá no lo sé; pero

hoy día la tiene en haz del rey, que está en la
cibdad como tratante entre ellos. Medina, Valladolid, Toro, Çamora, Salamanca, y eso de por ay
está debaxo de la cobdicia del alcaide de Castronuño. Hase levantado contra [él] el señor duque 5
de Alua para lo cercar, e no creo que podrá, por
la ruín disposición del reino, y tanbién porque
aquel alcaide está ya criado gusano del rey don
Alfonso, tan grueso, que allega cada vez que
quiere quinientas e seiscientas lanças. Andan agora 10
en tratos con él porque dé seguridad para que no
robe ni mate. En canpos naturales son las asonadas
e no mengua nada su costunbre por la indisposi-
ción del reino.

Las guerras de Galicia, de que nos solíamos es- 15
peluznar, ya las reputamos ceuiles, y tolerables,
immo, lícitas. El condestable, el conde de Triuiño,
con esos caualleros de las montañas, se trabajan
asaz por asolar toda aquella tierra hasta Fuente-
rabía. Creo que salgan con ello, segund la priesa 20
le dan.

No hay más Castilla; si no, más guerras auría...
La corte que... los del consejo *squalidi*, contadores
gementes, secretarios *querentes*...

Hauemos dexado ya de facer alguna imagen de 25
prouisión, porque ni se obedece ni se cunple, y

---

22 Los puntos suspensivos indican que hay espa-
cios en blanco, que existen en todas las eds.

contamos las roturas e casos que acaescen en nuestra Castilla como si acaesciesen en Boloña, o en
reinos do nuestra jurisdición no alcançase. Y porque más breuemente vuestra merced lo compre-
5 henda certificos, señor, que podría bien afirmar
que los jueces no ahorcan hoy un omme por justicia por ningún crimen que cometa en toda Castilla,
auiendo en ella asaz que lo merescen, como quier
que algunos se ahorcan por iniusticia. Dígolo por-
10 que poco ha que Juan de Ulloa, en Toro, enbió a las
casas del licenciado de Valdiuieso e de Juan de
Villalpando y los ahorcó a sus puertas. Estos eran
de los más principales de la cibdad; todos los otros
cauaḷleros de Toro sabido ésto, con sus parciales
15 e allegados huyeron e desanpararon la cibdad. El
Juan de Ulloa y los suyos entraron las casas y ro-
baron las.   .   .   .   .
.   .   .   .

Yo vos certifico, señor, que no acabe aquí esta
20 letanía. Así que, señor, si Dios *miraculose* no quisiere rehedificar este tenplo tan destruído, no os
ponga nadie esperança de remedio, sino de mucho
peor *in dies*.

Los procuradores del reino, que fueron llama-
25 dos tres años ha, gastados y cansados ya de andar
aquí tanto tienpo, más por alguna reformación de
sus faciendas que por conseruación de sus concien-
cias, otorgaron pedido e monedas; el cual, bien re-
partido por cauaḷleros y tiranos que se lo coman

bien, se hallará de ciento e tantos cuentos uno sólo
que se pudiese auer para la despensa del rey. Puedo
bien certificar a vuestra merced que estós procuradores muchas y muchas veces se trabajaron en entender e dar orden en alguna reformación del reino, 5
y para ésto hicieron juntas generales dos o tres
veces: y mirad cuant crudo está aún este humor e
quant rebelde, que nunca hallaron medecina para
le curar; de manera que desesperados ya de remedio, se han dexado dello.   10

Los perlados eso mismo acordaron de se juntar
para remediar algunas tiranías que se entran su
poco en la iglesia, resultantes destotro tenporal, e
para ésto el señor arçobispo de Toledo e otros algunos obispos se han juntado en Aranda. Menos se 15
presume que aprouechará esto; porque he miedo. .

. . . .

El señor maestre se casa agora: casado, acuérda-
se que se junten aquí en Madrid él y el cardenal con
algunos grandes e perlados, para dar orden en al- 20
guna paz e gouernación del reino, poniendo algunos
perlados e caualleros que gouiernen por tienpos. .

. . Porque sobre el cómo e sobre el quién . . .

. . . . como dize Tulio; y esto porque falta el oficio
del rey que lo auía todo de mandar solo. Muerto el 25
arçobispo de Seuilla, todos sus bienes y la Mota de
Medina quedó a Fonseca su sobrino. Aquella villa,

---

1   *hallará*. Ed. princeps: *hallaron*.

viéndose opresa de aquella Mota, acordaron de la
derribar, y para ésto tomaron por ayudador al alcaide de Castronuño, el cual con los de la villa, e
los de la villa con él, la tienen ya en algun aprieto
5 con propósito de la derribar, y aun dauan alguna
suma por ello. El Fonseca, viéndose así e a su Mota
en algún estrecho, trató con la villa que le diesen
alguna equivalencia, e que les daría la Mota para la
derrocar, e para ésto que llamasen al señor conde
10 de Alua. . . . .

Porque el duque la touiese en las manos fasta que
la villa conpliese la equivalencia que al Fonseca
auía de ser dada: y esto todo se trató sin lo saber el
alcaide de Castronuño que la tenía cercada. *Et*
15 *factum est sic.* Vino el duque de Alua con gente, y
entró por una puerta de Medina, e el alcaide se fué
por otra, e alçó el cerco, e tomó el duque la Mota en
sí; unos dicen que para la derribar, como la villa lo
desea, otros que para la tornar al Fonseca, como él
20 lo querría. Yo, señor, veo que se la tiene el duque
. . . .
. .No dude vuestra merced que la enbidia ha fecho
su oficio aquí, de tal manera, que algunos fauorescen de secreto al alcaide para que el señor de Alua
25 tenga que entender con él algun rato. Vedes aquí
las nueuas de hasta agora: si más quisiéredes, por la
muestra destas sacarés las otras.

[LETRA XXVI]

Señor: acá nos dicen que se concluye paz con el
rey de Portogal, e por cierto cosa es muy santa e
conuiniente a amas partes. A la reina nuestra señora, porque quitado el enpacho de la guerra en reino
ageno, pueda administrar libremente la justicia que
deue en el suyo, e tanbién porque cosa es digna de
loor vencer con fortaleza e pacificar con humanidad. Al señor rey de Portogal conuiene eso mismo,
porque si bien lo mira su señoría, cara a cara, le ha
mandado Dios que se dexe de esta demanda, pues
vido que este reino no le pudo sofrir, ni el suyo
ayudar, ni mucho menos el de Francia remediar
para conseguir su propósito. Vido eso mismo su señoría que si ouo orgullo cuando tomó a Çamora,
aquello fué por peor, pues fué para salir della con
daño y muerte de algunos suyos. Si ouo orgullo
para poner real sobre la puente, aquello fué por

---

1   Escrita en 1479. Falta en la ed. de 1500.

peor, pues se leuantó de allí sin conseguir fruto, e
peleó y fué vencido. Si ouo esfuerço en la guerra
que el rey de Francia nos facía en su fauor, aquello
fué por peor, pues se mouió por aquello a ir en per-
5 sona donde ni ganó honra ni truxo prouecho. Si
acordó enbiar la gente que enbiaua a Mérida e Me-
dellín, aquello fué mal consejo, porque peleó y fué
vencido del maestre de Santiago. E, en conclusión,
si houo orgullo con la mucha gente de Portogal e
10 muchas flucias de Castilla cuando entró en ella,
aquello fue por peor, pues salió della con poco prouecho y mucho daño. Así que, señor, bien miradas
estas esperiencias que vido e que vimos públicas, e
otras algunas que su alteza ha sentido secretas, de
15 creer es que son amonestaciones diuinas que se
facen a los reyes católicos para los reducir de malo
a buen propósito. E así entiendo que, como a católico príncipe, por vía de verdadero conoscimiento
de Dios, pues en obras claras vee su voluntad se-
20 creta, remidando a Nabucodonosor, cuyas tentaciones fueron a penitencia, e no a Faraón, que le
troxeron a endurescimiento, nos dexará libres seruir nuestros reyes, e no nos molestará ya más para
que siruamos a reyes agenos, *quos non cognouerunt*
25 *patres nostri.* En especial creo que como príncipe
católico y prudente tomará el consejo euangélico
que dice: ¿Quién es aquel rey que ha de ir a cometer
guerra contra otro rey e no se asienta primero a
pensar si podrá con diez mil ir contra el que viene

a él con veinte mil? E pues vee su alteza que no es
tan poderoso para sostener guerra donde tanta des-
proporcion de poderío hay, es de creer, segund su
prudencia, que segund el mismo euangelio dice, en-
biará su enbaxada, e rogará aquellas cosas que con- 5
ciernen a la paz. Escriue esto Sant Lucas a los catorce capitulos de su euangelio: póngolo en romance porque no vais a declaradores.

No dubdo, señor, que alteren al señor rey de
Portogal algunas cosas nacidas de las esperanças 10
que le darán de Castilla; pero a mí paresce que
deuería su señoría menbrarse bien que mi señor el
cardenal d'España le enbió entre otras cosas a decir
cuando quería entrar en Castilla, que no ficiese
grand cabdal del ayuda verbal que le ofrecian al- 15
gunos caualleros e perlados deste reino; porque
cuando necesario ouiese el efecto de la actual, podría ser que ni fallase actual ni verbal. En lo cual
paresció que el cardenal mi señor profetizó más
cierto la salida que ouo en este fecho, que los que 20
fauorescieron su entrada en este reino.

8   *Vais,* por *vayais.*

[LETRA XXVII]

Charissime domine: dos, y aun creo que tres cartas vuestras he rescebido que no contienen otra cosa sino rogarme que os escriua: y ciertamente
5 querría facer lo que mandais, cuanto más lo que rogais, saluo porque ni tengo acá ni me dais allá materia que escreuir. Menos escriuo nueuas, porque las públicas vos las sabés y las secretas yo no las sé. E porque el filósofo dice que los *sermones sunt*
10 *inquerendi iuxta materiam,* pues vos no sabés dar la materia, menos puedo yo facer los sermones: así que vos por no saber, y yo por no poder, se queda la carta sin escreuir.

Después he pensado que me querés apremiar
15 que diga la materia e faga la forma, como el rey Nabucodonosor costriñó a sus mágicos que le dixiesen el sueño e le mostrasen la soltura: e aunque vos no tenés el poder de aquel rey, ni yo el saber de aquel Daniel; pero digos que fecistes bien en os

ir, pues sois ido, e farés mejor en permanecer, pues
estais allá. E como quier que se me fizo graue vuestra ida, pero cuanto enojo me dió vuestra absencia, tanto placer me da vuestra utilidad, sabiendo
cómo estais bien con ese seteníssimo rey. E pues ⁵
vuestra costelación era de venir de capilla en capilla
de los reyes que son de leuante fasta poniente, a
lo menos seremos seguros que no irés más adelante,
pues no hay más capillas de reyes dó podais ir.
Cuanto a lo que me encargais tocante a la señora ¹⁰
vuestra madre, *dictum puta. Valete.*

[LETRA XXVIII]

PARA EL PRIOR DEL PASO

Reuerendo señor: rescebí vuestra letra, y pues es
buena, no es cara. Dígolo porque aunque vuestras
cartas son tan duras de hauer, que no sé si las dais
tan caras porque sean más preciadas, o si las de-
5 xais de dar por no dar aunque sea papel, porque
como V. R. sabe, todos vosotros mis señores los re-
ligiosos sois tan enemigos del dar cuanto sois deuo-
tos del tomar; como quiera que sea, me plogo de
10 la rescebir, por saber de la salud de vuestra reue-
rendísima persona, y tanbién por conocer si haués
tenplado algun poco esa cobdicia que el hábito de
Sant Gerónimo vos da, deuiendoosla quitar.

Inter alia me mandais que os escriua nueuas: e
15 para decir verdad de lo que yo sé, ningunas hay
de presente sino guerra de moros, en la cual esta
nuestra señora veemos que fuelga y trabaja con

---

1   Año 1484.
17   Las demás eds.: esta *reina* nuestra señora.

tantas fuerças interiores e exteriores que paresce
bien tenerla en el ánimo . . . .

. . . .

Creed que toda su mayor solicitud por agora es
los adereços que conuienen para la seguir, porque 5
tiene los enemigos flacos, hanbrientos, diuisos, y
tan caídos, que se cree a pocos vaiuenes sean derri-
bados o a lo menos. . . . .

Face bien de perseuerar en su enpresa, porque
no le contezca lo que acaesció a muchos reyes e 10
enperadores, que no sabiendo conoscer su tienpo,
ni su vencimiento, perdieron todo su trabajo pasado, y ouieron infortunios en lo porvenir.

Otras nueuas ouimos esta semana, *scilicet*, que el
rey de Portogal después que degolló antaño al du- 15
que de Bergança, mató ogaño al duque de Viseo,
su primo, fijo del infante don Fernando y hermano
de la reina, su muger, moço de veinte años: y dícese
que mandó matar otros ommes principales, sus criados e seruidores. La causa destas muertes dicen que 20
fué informacion que ouo el rey cómo este duque tra-
taua de lo matar. Esto es lo que dicen los otros; lo
que digo yo, es que no querría beuir en reino donde el rey mata sus debdos, y los debdos se dice
que imaginauan matar su rey. Ciertamente, reue- 25
rendo señor, fablando en la verdad, grande y muy
arrebatada deuiera ser la ira que aquel rey, para ser
rey, concibió, pues le fizo que matase y que matase
él mismo, e tan aceleradamente, e a omme de su

sangre, e sin le oír primero, e a moço de veinte
años, hedad tanto tierna, que aunque fuese hábile
para facer fazaña, no era aún capaz para la inuen-
tar ni para imaginar dolo. No tenemos licencia de
5 fablar en las cosas de los reyes, pero sé os decir que
infinitos reyes leemos beuir vida larga y próspera
perdonando, e pocos leemos beuir muchos días ni
seguros matando. *Fiat voluntas Dei.*

Vedes aquí, señor, las nueuas con sus auctori-
10 dades. Estas y más os diría, no porque no sé que
las sabés vos, mas porque sepais que las sé yo, e no
digais, como solés decir, que mis ochenta libros
estarían mejor en vuestra celda que en mi cámara.
Valete.

---

12   Si Pulgar conocía directamente todas las autori-
dades que en sus obras menores alega, debemos pensar
que, entre los ochenta libros de su biblioteca, no falta-
rían, además de la *Biblia*, reiteradamente citada, los
siguientes:

Aristóteles *(Política, Éticas...)*, Hesíodo, Plutarco
y Flavio Josefo, Cicerón *(De Officiis, De Senectute,
Quaestiones Tusculanae, Epistolae...)*, Tito Livio, Salustio, Valerio Máximo, Frontino, Virgilio y Séneca
(obras filosóficas y tragedias), San Agustín *(De civitate
Dei, Epistolae, Enchiridion)*, San Gregorio *(Liber Pas-
toralis)*, San Juan Crisóstomo y San Jerónimo, Santo
Tomás *(Summa)* y Papías *(Vocabularium)*.

[LETRA XXIX]

Para mosen Alfonso de Oliuares que estaua en la conpañía del duque de Placencia

Señor: días ha que sope el reposo que fallastes con ese noble señor, y considerada vuestra condi- ción y hedad, conoscí que así como Dios permite ⁵ turbaciones a los turbulentos, bien así acarrea so- siego a los quietos. Plega aquel *qui liberauit vos a negocio per ambulante* en corte *et repleuit vos lon- gitudine dierum,* que al fin *ostendat vobis salutare suum.* ₁₀

Yo, señor, soy aquí más traído que venido; por- que estando en mi casa retraído, e casi libre ya de la pena del cobdiciar, e començando a gozar del beneficio del contentamiento, fuí llamado para es- creuir las cosas destos señores. Este señor me rogó ₁₅

---

2   Escrita en 1481 o 1482, fecha en que parece re- cibió el encargo de escribir la Crónica de los Reyes Católicos. Cf. Letra XI.

10   Adaptación del Psalmo XC, 3 y 16: *Liberavit- me de laqueo venantium,* etc.

que os escriuiese, y enbiase unos renglones que
oue fecho contra la vejez. Por ellos verés que
cum eram paruulus loquebar ut paruulus. Agora
que soy viejo, la hedad. me costriñe escreuir el
5 sentimiento que se siente en los días viejos.

Al señor duque beso las manos. *Valete*.

---

2 Cf. Letra I.
3 *Cum erat parvulus*. Ep. I de S. Pablo ad Corintios, XIII, 11.

[LETRA XXX]

PARA PUERTOCARRERO, SEÑOR DE PALMA

Muy noble y magnífico señor: dice vuestra merced que querría ver mis razones más que mis encomiendas. En verdad, muy noble señor, yo deseo que viésedes más mis seruicios que lo uno ni lo otro; pero porque son pocos e flacos, los suplo con aquellas pocas encomiendas que os enbié. Y por tanto, señor, no quiero que resciba vuestra merced este engaño; porque haués de saber que cuando houieire fecho lo último de mi poder por os seruir, certifico a vuestra merced todo ello valga bien poco. Así que no lleua razón que tal señor como vos, e con tan claras obras como las vuestras, estén obligadas a tan flaco seruidor, e tan pocos seruicios como los míos.

Dice asimismo vuestra merced que andando por mandado de la reina con el duque de Viseo os cuesta saber la lengua portoguesa tanto como al conde de Castañeda la morisca, cuando se rescató de la prisión de los moros. Ciertamente, señor,

amos comprastes caro: porque ni la una lengua
ni la otra valen la meitad de lo que costaron, e con
tales compras de lenguajes como estas que se os
deparan está como está el tesoro de Palma. Pero,
5 señor, si mirais que el otro compró su libertad, e
vos fecistes vuestra lealtad, fallarés que amos comprastes barato. Allende desto os deués conortar con
el señor rey de Portogal, a quien costó más dineros
aprender la lengua castellana que a vos la porto-
10 guesa, e nunca pudo aprender palabra della en todo
el tienpo que en Castilla estouo.

[LETRA XXXI]

Para el cardenal d'España

Ilustre y reuerendísimo señor: sabido aurá V. S. aquel nueuo istatuto fecho en Guipuzcoa, en que ordenaron que no fuésemos allá a casar ni morar etc., como si no estouiera ya sino en ir a poblar aque- 5 lla fertilidad de Axarafe, y aquella abundancia de canpiña. Un poco paresce a la ordenança que ficieron los pedreros de Toledo de no mostrar su oficio a confeso ninguno. Así me vala Dios, señor, bien considerado no vi cosa más de reír para el que 10 conosce la calidad de la tierra y la condición de la gente. ¿No es de reir que todos o los más enbían acá sus fijos que nos siruan, y muchos dellos por moços d'espuelas, y que no quieran ser consuegros de los que desean ser seruidores? No sé yo por 15 cierto, señor, cómo ésto se pueda proporcionar: desecharnos por parientes y escogernos por seño- res; ni menos entiendo cómo se puede conpadecer de la una parte prohibir nuestra comunicación, e de

---

7 de *campiña*. Llag.: de *Carpentania.*

la otra fenchir las casas de los mercaderes y escri-
uanos de acá de los fijos de allá, y estatuir los padres ordenanças injuriosas contra los que les crían
los fijos y les dan oficios e cabdales e dieron a ellos
5 cuando moços. Cuanto yo, señor, más dellos vi en
casa del relator aprendiendo escreuir que en casa
del marqués Iñigo Lopez aprendiendo justar. Tanbién seguro a vuestra señoría que fallen agora más
guipuzes en casa de Fernand Aluraes e de Alfonso
10 de Auila, secretarios, que en vuestra casa, ni del
condestable, aunque sois de su tierra. En mi fe, señor, cuatro dellos crío agora en mi casa mientras
sus padres ordenan esto que vedes, y más de cuarenta ommes honrados y casados están en aquella
15 tierra que crié y mostré, pero no por cierto a facer
aquellas ordenanças. *Omnium rerum vicisitudo est.*
  Pagan agora éstos la prohibición que fizo Moisen
a su gente que no casasen con gentiles: pero no podemos decir dél: *cœpit Moises facere et docere*, como
20 decimos de Cristo nuestro Redentor; porque dos
veces que casó tomó mugeres para sí de las que
defendió a los otros. Tornando ora, señor, a fablar
al propósito, ciertamente, señor, grand ofensa ficieron a Dios por odenar en su iglesia contra su ley,
25 e grand ofensa ficieron a la reina por ordenar en su
tierra sin su licencia.

---

15   Es frase de Terencio. Cf. R. MIGUEL, *Dic.*
19   *coepit Jesus...* Act. Apost., I, 1.

[LETRA XXXII]

Para el señor don Enrique

Muy noble y magnífico señor: tanto placer houe
del pesar que houistes por la pérdida de Zara,
cuanto pesar houe del placer que houieron los moros en ganarla. E por cierto, señor, si desto deue 5
pesar al buen cristiano e al buen cauallero, mucho
más deue pesar al visnieto del infante don Fadrique
y del rey don Alfonso de Castilla, como vos sois.
Este tal, por cierto, no solo deue hauer pesar, mas
deue hauer ira: porque el pesar a las veces es de las 10
cosas que no lleuan remedio, y la ira es de las que
se espera remedio y vengança. Algunos filósofos
dixeron que el buen varón no deue hauer ira; e
Aristótiles en las Eticas dice que la deue hauer
donde conuiene y por lo que conuiene; y por cier- 15
to, señor, no sé yo cuándo ni por qué cosa más la

---

1   Año 1482, poco después de la pérdida de Zahara, ocurrida en 27 de diciembre de 1481. Cf. Pulgar,
Crónica, cap. CL. Bernáldez, Riv., pág. 605.

deue hauer el buen cauallero que por el caso pre
sente. Asi que, muy noble señor, como suelen decir: pésome de vuestro enojo, así os digo que me
plogo deste vuestro pesar; porque de razón, como
5 fijo de vuestro padre y nieto de vuestros auuelos, lo
deués hauer, y no medre Dios quien consolatoria
os enbiare sobre ello.

Dice vuestra merced que os pesara si cuando
fuéredes en la corte se os quitare el pesar que te-
10 nés por la pérdida de aquella villa: y creo, muy noble señor, que recelais no os acaesca lo que acaesció a Sant Pedro; el cual, como fuese esforçado,
verdadero y constante, entrando en la corte de
Caifás, luego se mudó y negó y enflaqueció. Esto,
15 muy noble señor, es verdad que acaesce en las
cortes de los reyes malos y tiranos, do se face
el buen cauallero malo, y el malo peor; pero no ha
logar por cierto en la corte de los buenos reyes e
católicos, como son estos nuestros, porque allí se
20 ha tal dotrina con que el buen cauallero es mejor,
y el malo no tanto; y aun allí puede el buen cauallero ganar su alma cuando recta e lealmente se houiere en las cosas. Decía el obispo don Alfonso que
el cauallero que no iua a la corte y el clérigo que
25 no iua a Roma no valían un cornado.

6 Llaguno: «lo debeis haber *para procurar el reme-*
dio, y no medre», etc.
23 Don Alfonso de Santa María, obispo de Burgos,
cuya semblanza escribió Pulgar. *Cl. var.*, tít. XXII.

[LETRA XXXIII]

AL MUY NOBLE E MAGNÍFICO SEÑOR, MI SEÑOR
EL CONDE DE CABRA,
SEÑOR DE LA VILLA DE BAENA

Muy noble e magnífico señor: la reina, nuestra
señora, me mandó dar la carta original que la seño- 5
ra condesa le enbió, en que recontava el vençimien-
to que a Dios plogo darvos de los moros; e por virtud de aquella asenté el fecho segund pasó; pero
porque en este memorial que V. S. agora me enbió
está relatado por más estenso, tornarlo he a asentar 10
más conplido, guardando la forma deste memorial.
Pláceme, muy noble e magnífico señor, que me lo
enbió V. S.; porque, si bien miramos, de todos
cuantos vençimientos hicieron los grandes reyes y
señores pasados, ni aún de los edeficios que funda- 15
ron ni fazañas que ficieron no queda otra cosa sino

---

1   Dada a conocer por el P. Luciano SERRANO en el
Boletín de la Real Academia de la Historia, LXXXIV,
1924, pág. 441.

esto que dellos leemos; y aun los edifiçios que facen, por grandes que sean, caen e callan, y la escriptura de sus fechos que leemos ni cae ni calla en
ningund tiempo. Y porque este vuestro es digno de
5 memoria y es razón que vuestros desçendientes se
arreen dél, yo me trabajaré en servir a vos y a ellos
diciendo la verdad.

Yo, muy noble e magnífico señor, en esto que
escribo no llevo la forma destas corónicas que lee-
10 mos de los reyes de Castilla; mas trabajo cuanto
puedo por remidar, si pudiere, al Tito Livio e a los
otros estoriadores antiguos, que hermosean mucho
sus corónicas con los razonamientos que en ellas
leemos, enbueltos en mucha filosofía e buena doc-
15 trina.

Y en estos tales razonamientos tenemos liçençia
de añadir, ornándolos con las mejores e más efica-
çes palabras e razones que pudiéremos, guardando
que no salgamos de la sustançia del fecho. E por-
20 que me escrivieron que çerca de la deliberaçión del
rey moro ovo algunos votos, dellos pro e dellos
contra, yo hice dos razonamientos: el uno que no se
devía soltar, el otro consejando que se suelte. En-
bíolos a V. S., y si mandáredes quel postrimero ra-
25 zonamiento se intitule a V. S., pues en aquel se
determinó el Consejo, luego lo faré. Suplico a
V. S. que los mande guardar e no se comuniquen

20   Refiérese Pulgar a la prisión de Boabdil en su
Crónica, caps. CXLVII-CXLVIII.

con ninguno, salvo con la señora condesa, a serviçio de la cual yo soy tan afiçionado que puede ser bien segura que tiene el estoriador de su mano.

Y asimismo al señor don Martín, vuestro hermano, a quien me fallo menguado por no venirme a 5 las manos cosa en que le pueda servir; y pues estos dos me tienen por servidor, seguro deve estar V. S. de mi lealtad a vuestro serviçio. Pidos por merçed, señor, me escrivais si lo reçibió, e qué es lo que le place. Nuestro Señor conserve vuestra muy 10 noble e magnífica persona e acreciente vuestro estado.

De Madrid, partiendo para la corte, a XX de Febrero.

DEO GRATIAS   15

---

14   «Por el contexto se deduce que este febrero fué el primero que vino después de la batalla de Lucena; de aquí que sin vacilar atribuyamos esta carta a 1484.» L. SERRANO, *Loc. cit.*

COPLAS DE MINGO REVULGO

GLOSADAS POR

FERNANDO DEL PULGAR

PARA EL SEÑOR CONDE DE HARO

CONDESTABLE DE CASTILLA

Ilustre señor: para provocar a virtudes y refrenar vicios, muchos escribieron por diversas maneras. Unos en prosa ordenadamente; otros por vía de diá- 5
logo; otros en metros proverbiales, y algunos poetas haciendo comedias y cantares rústicos, y en otras formas, según cada uno de los escritores tuvo habilidad para escrebir. Lo cual está asaz copiosamente dicho, si la natura humana, inclinada a mal, se con- 10
tentase, y, como el estómago fastidioso, no demandase manjares nuevos que le despierten el apetito para la doctrina que requiere la salvación final que todos desean.

Estas coplas se ordenaron a fin de amonestar 15
el pueblo a bien vivir. Y en esta Bucólica, que quiere decir cantar rústico y pastoril, quiso dar a entender la doctrina que dicen so color de la rusti-

---

₁ Don Pedro Fernández de Velasco, el mismo a quien dirigió Pulgar la Letra XIII.

cidad, que parecen decir; porque el entendimiento
cuyo oficio es saber la verdad de las cosas, se exer-
cite inquiriéndolas, y goce como suele gozarse cuando ha entendido la verdad de ellas.

5   La intención de esta obra fué fingir un profeta o
adivino en figura de pastor, llamado *Gil Arribato*, el
cual preguntaba al pueblo (que está figurado por
otro pastor, llamado *Mingo Revulgo*) que cómo
estaba, porque le veía en mala disposición. Y esta
10   pregunta se contiene en la primera y segunda copla. El pueblo, que se llama *Revulgo*, responde que
padece infortunio porque tiene un pastor que, dexada la guarda del ganado, se va tras sus deleites y
apetitos. Y ésto se contiene en las siete coplas si-
15   guientes, desde la tercera hasta la décima. En las
cuatro coplas que se siguen, muestra cómo están
perdidas las cuatro virtudes cardinales, a saber:
Justicia, Fortaleza, Prudencia y Temperancia, figuradas por cuatro perras, que guardan el ganado.
20   En las dos coplas siguientes, desde la catorce hasta
la diez y seis, muestra cómo perdidas o enflaqueci-
das estas cuatro perras, entran los lobos al ganado
y lo destruyen. En las otras dos siguientes, que son
diez y siete y diez y ocho, concluyen los males que
25   generalmente padece todo el pueblo. Y de aquí
adelante el pastor *Arribato* replica y dice que la
mala disposición del pueblo no proviene toda de la
negligencia del pastor, mas procede de su mala
condición; dándole a entender que por sus pecados

tiene pastor defectuoso, y que si reinase en el
pueblo Fe, Esperanza y Caridad, que son las tres
virtudes teologales, no padecería los males que
tiene. Y ésto dice en las cuatro coplas siguientes,
desde la diez y ocho hasta la veinte y dos. Después, 5
en la veinte y tres y veinte y cuatro, muestra
algunas señales por donde anuncia que han de
venir turbaciones en el pueblo, las cuales en otras
tres coplas siguientes declara que serán guerra,
hambre y mortandad. En las otras cuatro coplas 10
que se siguen le amenaza y amonesta que haga
oración, y confesión y satisfacción, y que haga
contrición para escusar los males que le están apa-
rejados. Y ésto se entiende desde la veinte y siete
hasta la treinta y una coplas. En la última y postri- 15
mera alaba la vida mediana, porque es más segura,
y en esta treinta y dos copla se concluye todo el
tratado.

COPLA I

Ah Mingo Revulgo, Mingo,
Ah Mingo Revulgo, ahao
¿qué eso de tu sayo de blao?
¿no le vistes en domingo?
¿Qué es de tu jubon bermejo?
¿por qué tras tal sobrecejo?
Andas esta madrugada (1)
la cabeza desgreñada
¿no te llotras de buen rejo?

Pregunta agora el profeta Gil Arribato a la república, dándole voces como de lexos, y dícele: —Dime Revulgo, o república ¿dó está tu *sayo de blao*? Y es de saber que *blao* es color azul, que significa lealtad, según la descripción de los colores. Y por que en el tiempo que estas coplas se hicieron las voluntades de los mayores del reino estaban contrarias, y muy aparejadas para hacer división, pregúntale: —Dime, Revulgo ¿dó está la lealtad que debes a tu rey y a tu tierra? ¿por qué consientes que haya división en ella, como sea verdad que todo rey diviso sea destruído, según el dicho de nuestro Redentor? Dícele asimismo: —*¿Por qué no te vistes en domingo?* Como quien dice: ¿Tanta es tu tristeza, que no muestras la alegría que debes mostrar viéndote en día

_____

(1)   Gallardo: Andas esta *trasnochada*.

de fiesta? *¿Qué es de tu jubón bermejo?* Porque en
tiempo de división hay muchos tiranos a quien los
pueblos están súbditos, pregúntale aquí: —*¿Do
está tu jubón bermejo?* Como quien dice: Castella-
5 nos ¿dó está vuestro orgullo?, que significa colo-
rado. ¿Cómo vos dexais supeditar de gente mala
y tirana? *¿Por qué traes tal sobrecejo?* Los que están
en descontentamiento siempre los vereis el sobrecejo echado. *Andas esta madrugada.* Dice la ma-
10 drugada por el tiempo en que estaba. *La cabeza
desgreñada.* Porque en tiempo de división el rey,
que es cabeza, no es acatado, y lo de la corona real
está todo desipado y enagenado. Dice que traía la
cabeza desgreñada y al fin concluye:—*¿No te llotras
15 de buen rejo?* Los labradores, que dañan nuestro
lenguaje, por *recio* dicen *rejo.* Como quien dice: no
estás en el vigor y fuerza que debes estar.

Así que esta copla contiene seis preguntas que
hace el profeta a la república: la una dó está su
20 lealtad; la otra dó está su orgullo; la otra por qué
está sañuda, teniendo el sobrecejo echado; la otra,
que veía desbaratado el patrimonio real; la otra
que estaba flaca, sin vigor.

---

14 *Llotrar,* no se halla en el Dic. de Auts. Es, dice
el Lic. Barros, «una manera rústica de hablar de la
qual usan hombres rústicos y cortos de razones. De sí
no significa cosa alguna; mas entiéndese conforme aquello que se aplica, como si para decir: ¿No te vistes el
sayo?, dixese: ¿No te llotras el sayo?»

COPLA II

La color tienes marrida (1),
el corpanzon regibado (2),
andas de valle en collado
como res que va perdida,
y no oteas si te vas
adelante o caratrás,
zanqueando con los pies,
dando trancos al través
que no sabes dó te estás.

Continuando su pregunta, el profeta Arribato dice a la república que tiene la color y el cuerpo marchito y [5] encorvado *como res que va perdida*. Todo hombre en esta vida debe tener algún orden de vivir, y en aquella que tomare debe estar a obe- [10] diencia de su mayor, ora sea en la casa, ora en el monasterio o ciudad o en el reino. E si fuera de obediencia anduviere, bien se puede comparar a la res, que quiere decir cosa que anda perdida de valle en collado, fuera de la manada, sin regla ni [15] orden ninguna, *zanqueando con los pies*.

El profeta Elías, increpando al pueblo de Israel porque estaba diviso, una parte sirviendo a Dios, otra a los ídolos, les decía: ¿Fasta cuando coxeais en dos partes? Servid al que debeis servir etc. Y el [20]

---

(1) *marrida*, amarrida, afligida, melancólica. Barros: *marcida*.
(2) Gallardo: Y el *cospanco rechinado*.

autor de estas coplas, tomada esta autoridad de
Elías, decía al pueblo diviso: ¿Por qué coxeais, estando divisos y teniendo diversas opiniones? No
teneis orden, y careciendo de ella no sabeis dó es-
5 tais. Y ciertamente no sin causa la Sagrada Escritura defiéndenos estrechamente en muchos lugares
la división de los reinos. Y nos manda por San Pedro en su canónica epístola que obedezcamos a los
reyes y príncipes, y aunque sean indoctos y negli-
10 gentes, antes que hacer división en los reinos;
porque no pueden ser los males que vienen del mal
del rey tan grandes que no sean mayores y más
grandes los que proceden de la división. Lo cual
parece por experiencia, porque si de la negligencia
15 del príncipe coxquea el reino con el un pie, de la división que se hace coxquea con los dos, sufriendo
robos, muertes y fuerzas intolerables en todas las
partes del reino todo el tiempo que dura. Y podemos creer por cierto que los que crían división
20 en las tierras, si lo hacen por ser libres de los infortunios que padecen o de los que recelan padecer, sin duda lo yerran. Porque la división que procuran los trae a otros males tanto mayores y más
graves, que si de ellos pudiesen salir y ser tornados
25 a los que antes de la división sufrían, lo reputarían
a gran prosperidad. Y así acaece muchas veces que
algunos hombres, antes de la experiencia de los
males futuros, no conocen los bienes presentes.
Pero metidos en necesidades incomparables, enton-

ces lo entienden mejor y querrían hacer lo que
con menos daños pudieran haber hecho.

Así que la conclusión de esta copla, es que la
república, por dicho del profeta, estaba flaca y caída, y no tenía orden, y asimismo estaba divisa en 5
dos partes.

COPLA III

Ala, eh, Gil Arribato,
sé que en fuerte hora allá
[echamos
cuando a Candaulo cobra-
[mos (1)
por pastor de nuestro hato:
ándase tras los zagales
por estos andurriales
todo el dia embebecido,
holgazando sin sentido,
que no mira nuestros males.

Ariolor y *vaticinor* son dos verbos latinos que quieren decir adivinar y profetizar, y del *ariolor* fué tomado el *arri* y del *vaticinor* el *bato*, y fué compuesto este nombre *Arribato*.

Responde ahora Revulgo, diciendo, que ovo gran infortunio en *cobrar por pastor a Candaulo*. Justino, abreviador de Trogo Pompeyo, dice que Candaulo fué un rey de Libia, dado a tales vicios que en su vida perdió su reino.

Andase tras los zagales. Quéxase aquí el pueblo, que su rey anda tras los mozos. Y ciertamente si todos deben tomar el consejo de los

---

(1) *Candaulo*, Enrique IV. La glosa publicada por Gallardo hace a Candaulo rey de Asiria, según dicen Virgilio y Ovidio.

viejos, por la experiencia que tienen en las cosas,
mucho más lo deben hacer los reyes, por la grande carga de gobernación que tienen. De Roboam,
hijo del rey Salomón, se lee que de doce partes
perdió las diez de su reino por seguir el conse- 5
jo de los mozos y dexar el de los viejos, holgazando. Acusa aquí el pueblo al rey porque huelga mucho: y, sin duda, reinar y holgar no se
compadecen. Porque no sé yo cómo puede holgar
el rey que tantas causas y tan diversas ha de oír 10
y conocer con igual ánimo, discernir y escudriñar
con buena discreción, juzgar y determinar con
buen sentido, castigar y executar con diligencia y
sin punto de crueldad.

La primera cosa que el rey ha de tener en su 15
ánimo arraigada es el temor de Dios; y las otras
condiciones que en él han de resplandecer, escrip-
tas están en tantas partes y tan cumplidamente
cada una, que hacer aquí relación de ellas sería prolixidad. Pero quiero decir que ninguno en las tie- 20
rras debe ser de razón tan duramente, ni con tanto
estudio de virtudes criado, como aquel que sobre
tantos tiene imperio. El cual tanto mayor freno se
debe poner a los vicios y deleites cuanto mayor
lugar tiene de los tomar. Porque cierta cosa es que 25
de muchos actos de delectación carnal se engendra tal hábito, que tarde o nunca se dexa. Y por
tanto los príncipes o reyes deben ser criados de
tal manera, que las tentaciones, que suelen com-

batir la flaca mocedad, no reinen en aquel que ha
de reinar.

Así que esta respuesta que la república hace al
profeta quiere decir que ovo gran infortunio en co-
5 brar el pastor que cobró, porque andando envuelto
con mozos, no curaba de la regir.

COPLA IV

Oja, oja los ganados
y a la burra con los perros,
¡cuáles andan por los cerros
perdidos, descarriados!
Por los sanctos te prometo
que este daño baltrueto (1)
(que nol medre Dios las ce-
ha dexado las ovejas   [jas)
por holgar tras cada seto.

Continuando las que-
xas que el Revulgo da
de su pastor, quiere
mostrar cómo todo el
pueblo está perdido, y
también la Iglesia, que
se entiende por la bu-
rra, y los perros que la-
dran se entienden por
los predicadores, que reciben detrimento por la
negligencia del rey. Y como el hombre que tiene
alguna pena la suele referir dos veces para mostrar su sentimiento, dice aqui *oja, oja*, como quien
dice mira, mira como todo está perdido; la cual
perdición proviene de mi pastor, que anda tras
sus delectaciones y no cura de mis correcciones.
Y como sea verdad que nuestra razón humana tenga principio noble y participe con lo alto, y nuestra carne sea inferior y participe con lo baxo, mucho es de llorar por cierto si por andar el hombre

---

(1) «Llama al rey *baltrueto* por llamarle desordenado y gastador de tiempo en deleites y cosas de poco
tomo.» BARROS.

tras delectaciones carnales, la razón tan alta fuere
vencida, y la carne tan baxa quedare vencedora.

Así que esta copla quiere decir que la Iglesia y
los predicadores también como los comunes andan
5 perdidos y sin orden, porque el rey sigue sus deleites y olvida el cuidado que debe tener del regimiento.

COPLA V

¿Sabes, sabes? El modorro
allá donde se anda a grillos
burlan de él los mozalvillos
que andan con él en el corro:
armanle mil guadramañas,
unol pela las pestañas,
otrol pela los cabellos,
asi se pierde tras ellos
metido por las cabañas.

En esta copla conti-
núa el sentimiento que
tiene el pueblo por la
negligencia del rey, y
quiere decir que *anda* 5
a grillos. A los que andan en alguna nego-
ciación, que ni se es-
pera fruto ni efecto,
solemos decir que andan a grillos. Dice asimismo 10
que *le burlan los mozalvillos que andan con él en
el corro*. Y por cierto el corro, conviene a saber, la
compañía que el rey debe tener cerca de sí, no
debe ser de mozos, porque aquella tal quita la autoridad del príncipe. Y cuanto mayores señores y 15
hombres de sciencia tuviere en su corro tanto más
resplandece la autoridad del rey. Dice que *le arman
mil guadramañas*. Y no se espera otra cosa de la
compañía de los hombres no aun maduros de edad,
sino que armen tres o cuatro mañas para pelar y 20
destruir los cabellos de la cabeza, que son las cosas
de la corona real.

Modorro se dice por el hombre ignorante en las cosas que ha de tratar. Hesiodoro dice que tres maneras hay de hombres. Una es de aquellos que tienen tal viveza en el entender y tal gracia, que
5 saben por sí mismos las cosas sin mostrador. Y de los semjantes dice Sant Hierónymo en el prólogo de la Biblia que el ingenio mostrado sin mostrador es loable. La segunda es de los que desean saber y lo procuran. La tercera es de los hombres que ni
10 saben ni se aplican a saber. Y ciertamente los reyes y príncipes, si de su natural inclinación no son sabios, grande culpa les debe ser imputada si no aprenden; porque tienen gran lugar para ser mostrados y les cumple serlo, según el cargo que tienen.
15 *Metido por las cabañas.* Hombres hay que, de su natural inclinación, son apartados y huyen de las gentes. Pero algunos lo hacen a fin de estar libres de toda comunicación que les impida la contemplación. Otros hay que se apartan porque son tan es-
20 quivos que no pueden oír los negocios de las gentes. Y por estas dos maneras de hombres dice Aristóteles que son dioses o bestias. E si esta postrera condición es defectuosa en todo hombre, mucho más lo es en cualquier que tiene gobernación de gentes.
25 Las cuales naturalmente desean ver su rey, porque no tienen otro recurso en las tierras para remedio de sus agravios. Y cuando el rey es esquivo y huye

---

1   *modorro*, «inadvertido, o dormilón, o çiego de entendimiento». Glosa en Gallardo.

de oír los de su señorío, luego es desamado de ellos,
dó proceden grandes inconvenientes en los reinos.
De ésto hay muchos exemplos: especialmente leemos en el libro de las Antigüedades del historiador
Josepho que Demetrio, rey de Asiria, perdió la ciu-   5
dad de Ptolomayda y todo su señorío, porque se re-
traía muchas veces con mozos en una torre que hizo
cerca de Antiochía, donde ninguno lo veía, y menos-
preciaba la gobernación de la república. Semejante
memorial leemos del rey Sardanapalo y del rey   10
Candaulo, que habemos dicho, y de otros muchos
reyes que por sus esquivezas y estremos apartamen-
tos, y por los deleites ilícitos que buscaban, osaron
sus súbditos profanar de ellos. Y cuando los pueblos osan decir, osan hacer.   15

Así que esta copla quiere decir que los mozos que
el rey trae en su compañía usan de tales artes, que
destruyen lo de la corona real, y que él es tan ignorante de ello, que se pierde andando tras ellos estando apartado y estando esquivo a las gentes.   20

COPLA VI

Uno le quiebra el cayado,
otro le toma el zurron,
otrol quita el zamarron,
y él tras ellos desbabado:
y aun el torpe majadero,
que se precia de certero,
fasta aquella zagaleja
la de Nava Lusiteja
lo ha trahido al retortero (1).

El *cayado* dice aquí por el cetro real: el *zurrón* por el tesoro: el *zamarrón*, que es vestidura, se puso por la preeminencia y autoridad real. Y ciertamente todo está perdido y disipado cuando el rey, dexada la compañía que debe tener, según en la copla antes de esta diximos, se vuelve con mozos y en mocedades.

Aquella zagaleja. Esto dice por alguna mujer si le traía a su querer y gobernación, y dice que era *de*

(1) En el texto publicado por Gallardo sigue a esta copla la siguiente, con alusión a don Beltrán de la Cueva:

«Trae un lobo carnicero—Por medio de las manadas:—Porque sigue sus pisadas—Dice a todos ques carnero.—Suéltale de la majada,—Desque da una ondeada—En tal ora lo compieça—Que si ase una cabeça—Déxala bien estrujada.»

13 Llamábase la favorita Doña Guiomar de Castro. Vid. Paz y Melia, *El Cronista Alonso de Palencia*, página 364.

Nava Lusiteja. Créese que la tal mujer era de Portugal; porque Lusitania se llama Portugal.

Así que esta copla quiere decir que aquellos mozos que placía al rey traer cerca de sí, le tomaban
el tesoro y le enflaquecían el ceptro de la justicia y ₅
le aniquilaban la preminencia real porque no era
acatado según debía.

COPLA VII

La soldada que le damos
y aun el pan de los mastines
comeselo con ruines
¡guay de nos que lo pagamos!
Y de cuanto ha llevado
yo no lo veo medrado
otros hatos ni jubones
sino un cinto con tachones
de que anda rodeado.

Pónese acá *soldada* por los pechos reales que se dan al rey: y la república muestra aquí dolor, si se gastaban do no debía y se dexaba de gastar do era necesario.

El pan de los mastines dice por la renta de la Iglesia, porque según habemos dicho, los mastines se entienden por los predicadores y hombres eclesiásticos, cuyo oficio es de guardar la grey en lo espiritual, y ladran en los pueblos amonestando las buenas costumbres, lo cual todo está corrompido en tiempo de división.

Cinto con tachones. Ciertamente las tachas si en cualquier hombre se continúan se convierten en tachones que se hincan en él y le rodean de todas partes: de manera que tarde y con dificultad las dexa. Séneca en la tragedia tercera dice que cualquier que siendo tentado de algún vicio lo sacude de sí al principio y no lo dexa encarnar, que este tal queda seguro y vencedor, pero que si sufre su tentación y la cría con aquel veneno dulce que el pecado suele tentar, tarde dice que sale debaxo del yugo a quien se sometió. Y así se hacen las tachas tachones que rodean por todas partes al vicioso.

Así que esta copla dice que los tributos reales 5 que el rey había de los pueblos, gastaba do no debía y se habituaba en algunas tachas, que pone por tachones.

COPLA VIII

¡O, mate mala ponzoña
a pastor de tal manera,
que tiene cuerno con miera
y no les unta la roña!
Vee los lobos entrar
y los ganados balar;
él risadas en oyllo,
ni por esto el caramillo
nunca dexa de tocar.

Dice aquí el pueblo que este su pastor *tiene cuerno con miera*. Cuerno en latín quiere decir corona. Miera es aceite [5] de enebro con que untan el ganado para que sane de la roña que tiene. Y quiere aquí decir que su rey tiene cuerno, conviene saber, que es rey [10] coronado. Y porque los reyes, según se lee en la Sagrada Escritura, en otro tiempo eran ungidos con aceite santo, quiere decir que como quiera que es rey natural y ungido, según razón debría curar la roña, conviene saber, castigar los vicios y pecados [15] del pueblo: y aunque *veía entrar los lobos*, que son los tiranos, y *oía balar los ganados*, que son los clamores de los agraviados, todo esto pospuesto, no *dexaba de tocar el caramillo*. Quiere decir que ni por ésto dexaba de seguir tras sus delectaciones, y por [20] tanto le increpa diciéndole: *¡O, mate mala ponzoña!*

Aristóteles en el tercero libro de la Política pone tres maneras de gobernación, y dexando las dos, que llama a la una Aristocracia, cuando gobiernan en el pueblo pocos y los mejores, y la otra Polycatia, que llama a la gobernación hecha por todos los del pueblo, porque estas dos no hacen al caso presente, hablando en la tercera manera de ⁵ gobernación, hecha por uno solo, a la cual llama Monarquía, de esta tal dice que cuando uno gobierna el reino procurando con gran diligencia el bien común antes que el suyo particular, este tal se llama Rey, y si pospone el bien de la república ¹⁰ por su bien particular, llámase Tirano. Y según parece en todas las quexas de la república dichas en estas siete coplas pasadas, verdad es que acusa al rey de holgazán en la gobernación del pueblo, negligente en la execución de la justicia. Y cierto ¹⁵ es que del poco cuidado del príncipe en lo que toca a la gobernación de su reino, proceden tiranías, y de su negligencia en la justicia, proceden injusticias; pero no vemos que acusa su persona de tirano ni de cruel. ²⁰

Así que esta copla quiere decir que como quier que su gobernador es rey natural y ungido, no cura de lo que se requiere a la buena gobernación del pueblo, según que buen rey debe hacer. Y aunque vee los hombres criminosos hacer fuerzas, ²⁵ y oye los gemidos de los agraviados, ni tiene cuidado de usar de su oficio ni dexa de tomar sus placeres.

COPLA IX

Apacienta el holgazán
las ovejas por do quieren,
comen yerbas con que mueren
mas cuidado no le dan:
no vi tal desque hombre so
y aun más te digo yo
aunque eres avisado,
que no atines del ganado
cuyo es o cuyo no.

Reprehende el pueblo a su pastor porque dexa apacentar sus *ovejas por do quieren*. Conviene saber, que consiente a sus súbditos adquirir bienes por todas las formas que les place, ora vengan de buena, ora de mala parte, sin los castigar ni refrenar: donde se sigue que la codicia se arraiga de tal manera, que *comen yerba con que mueren*. Conviene saber, adquieren bienes de iniquidad con que mueren las ánimas; y ésto dice que procede de ser holgazán. De este vicio de ocio le reprende en otras partes, do habemos declarado cuánto esta dignidad real es obligada a trabajar por la buena gobernación de sus súbditos.

Que no atines del ganado. Cierto es que en tiempo de división en cualquier reino o provincia la corrupción se extiende tanto en todas las cosas, que llega hasta lo divino, porque ninguno dexa de seguir lo que place. Léese en las Historias roma-

nas que en el tiempo de la división de Roma lo divino y humano todo estaba mezclado y tornado
de tal manera que no se conocía la diferencia de
lo profano a lo divino, do procedía desorden en el
pueblo y reinaba tan gran confusión, que todo pe- 5
resciera si mucho durara.

Así que esta copla quiere decir que este su gobernador consiente a los hombres ganar bienes de
mala parte, con que pierden las ánimas. Dice asimismo que tal desorden hay en el reino, que lo 10
divino y lo humano todo está revuelto,

COPLA X

Modorrado con el sueño
no le cura de almagrar,
porque no entiende de dar
cuenta de ello a ningun dueño:
cuanto yo no amoldaría
lo de Cristobal Mexia,
ni del otro tartamudo,
ni del Meco moro agudo:
todo va por una vía.

Algunos acostumbran en los pueblos dar cargo a un pastor que guarde sus ovejas, y cada uno señala las suyas con almagre de su señal, que tiene conocida. A este señalar llaman los pastores *amoldar*. Quiere agora aquí decir que tanta turbación hay en el hato, conviene saber, en el pueblo, que no se conoscerían las ovejas de *Christoval Mesia*. Estos son los christianos de Christo Mesia, nuestro Redemptor. Ni menos se conoscerían las *del otro tartamudo*. Esto dice por los judíos, que tienen la ley de Moysen, que era tartamudo, según parece en el cuarto capítulo del Exodo. Ni menos se conoscerían las de *Meco moro agudo*. Esto dice por los moros, que siguen la ley de Mahomad, que era agudo y de la casa de Meca. Y esta confusión dice que proviene del sueño del pastor. Y porque toca aquí en la poca diferencia que había de los unos a los otros, no plega a Dios

que se entienda haber tal mistura que todos an-
duviesen revueltos, que no se conosciesen en la
creencia de nuestra santa fe católica, cuáles eran
cristianos ni cuáles judíos o moros. Pero porque
según las constituciones del reino, los judíos y mo- 5
ros deben traer hábito y señales para ser conosci-
dos, porque haya diferencia de ellos a los cristianos, dice ahora que toda buena constitución estaba
enferma, y está asimismo de manera que no se co-
noscería la diferencia que en la vestidura y hábito 10
debe haber entre los unos y los otros.

Así que esta copla quiere decir que en los hábi-
tos que deben traer los judíos y moros, señalados
y apartados de los cristianos, no había la diferencia que debe haber, y que todos traían un hábito. 15

COPLA XI

Está la perra Justilla
que viste tan denodada,
muerta, flaca, trasijada,
juro a diez que habrás manci-
con su fuerza y corazon   [lla:
cometíe al bravo leon
y mataba el lobo viejo:
hora un triste de un conejo
te la mete en un rincon (1).

Dichos los defectos
del pastor, prosigue
agora la república re-
contando otros daños
que padece por defec- 5
to de las cuatro virtu-
des cardinales, que son
Justicia, Fortaleza,
Prudencia, Temperan-
cia, figuradas por cuatro perras que guardan el ga- 10
nado. Y por cierto bien se puede decir que guardan
el ganado, porque sin ellas ninguno en esta vida
puede vivir.

Y primeramente dice de *Justilla*, que es la Justicia, a la cual, si bien miramos, todas las otras 15
virtudes se pueden referir. Porque si usamos de la
virtud de la Fortaleza, no dexando a nuestro Se-

---

(1)   Sigue esta copla en el texto de Gallardo:

«Otros buenos entremeses—Faze aqueste rabadan.—
Non queriéndole dar pan—Ella se come las reses,—
Tal que ha fecho en el rebaño—Con su fambre mayor
daño,—Más astrago, fuerza y robo—Que no el más
fambriento lobo—De cuantos has visto ogaño.»

ñor en la batalla, justa cosa haremos. Si refrena-
mos la luxuria, que es de la virtud de Temperanza,
o si usamos de la virtud de Mansedumbre, de manera que la ira nos fuerce a hacer decir yerro, también usamos de la Justicia. Y en conclusión, en cual- 5
quier cosa que los hombres contratan y usan, quier
en sí, quier fuera de sí, si en ellas hay defecto o
demasía, luego hace desigualdad; y si son desiguales, de necesario serán injustas: y si son igualmente
y con buena proporción hechas, podemos decir jus- 10
tas. Y así serán todas referidas a la virtud de la
Justicia, do podemos fundar que el hombre recto
y justo goza de todas las otras virtudes cuando
en ésta es habituado, y por el contrario, si de ésta
carece diremos que de todas las otras es privado. 15
Lo cual se muestra por la definición que el Filósofo en el quinto de las Eticas hace de esta virtud,
do dice que la Justicia es un hábito o virtud según
el cual nos placen todas las cosas buenas y las
obramos según nuestra posibilidad. De la cual hace 20
dos partes; una es aquella que nos dice la razón, y
nos muestra la igualdad aunque no sea ordenado
por ley, así como no matar hombre o hacer fuerza, porque esto tal (sin que nos lo mande la ley)
nos parece cosa injusta, desigual. Otra es legal, 25
conviene saber, la que nos manda la ley, que se
ordena en las tierras do vivimos, según la calidad
de la Providencia lo requiere. Y estas dos maneras
de Justicia, conviene saber, igual y legal, en muchas

cosas se conforman; pero la Justicia legal, antes que
sea hecha la ley, no se puede decir injusto el que
la quebranta. Mas la otra parte, que se llama moral, en todo tiempo que cualquiera la quebrante
5 será llamado injusto. Y asimismo divídese la Justicia en otras dos partes, conviene saber, Justicia
distributiva, que se entiende en el dar y repartir oficios y dignidades y dones, según y cómo, a quién
y por qué y cuándo se debe hacer. Otra se llama
10 comutativa, que se entiende haciendo igualdad
en las contractaciones de los hombres, para que
ninguno tome más ni reciba menos de lo que debe.
Esto y las otras virtudes que contiene en sí la Justicia, porque sostienen los pueblos, florecen donde
15 ella reina. Todo dice aquí el Revulgo que está per-
vertido y dañado de tal manera, que quien lo vie-
se *habría mancilla*.

Que viste tan denodada. Ciertamente los ministros
de la Justicia deben ser varones que tengan denue-
20 do y osadía para la executar en el bravo león, que
compara al grande, también como en el pequeño;
porque a todos ha de ser igual y no ha de tener
acepción de personas. *Y mataba el lobo viejo*. Dícelo por la codicia, que es loba muy vieja, y anti-
25 guamente usada en el mundo. Y por cierto, como
la cobdicia es raíz de todos los males, mucho hace
la Justicia cuando está tan fuerte, que de su miedo esta loba cobdiciosa se mata, o a lo menos se
templa de tal manera, que no se sigan de ella los

males que suelen acaecer cuando no tiene algún
freno que le ponga el miedo del príncipe celado de
la Justicia. Leemos en una epístola de San Agustín que preguntado un sabio de Atenas llamado
Aristraton por el senador de la ciudad qué cosas 5
eran necesarias para que la república floreciese y
durase respondió: Justicia. Dixéronle qué otra
cosa. Respondió: Justicia. Apremiado que dixese
qué era más necesario, respondió: Justicia. Y por
cierto dixo bien, porque, según habemos dicho, to- 10
das las otras virtudes se refieren a ésta.

En conclusión, el Revulgo se quexa aquí diciendo que estaba tan caída, que un conejo, que es
animal flaco y huidor, la corría y la tenía sojuz-
gada. Y por no ser fastidioso con la prolixidad cer- 15
ca de esta virtud de la Justicia, parecería que el
conocimiento de las cosas y la obra de ellas hace
al hombre justo. Pero así como conviene que en el
conocimiento acertemos, así es necesario que en la
obra no erremos. 20

Así que esta copla quiere decir que la Justicia
estaba flaca y desfavorecida, y no estaba en hombres de corazón que tuviesen osadía para la executar, así en los mayores como en los menores.

COPLA XII

Azerilla que sufrió
siete lobos denodados
y ninguno la mordió,
todos fueron mordiscados:
rape el diablo el saber
que en ella se ha de defen-
[der (1);
las rodillas tiene floxas,
contra las ovejas cojas
muestra todo su poder.

Después que ha dicho de la virtud de la Justicia, dice agora de la Fortaleza, que llama aquí *Azerilla*, por la semejanza del acero, que es metal fuerte. Y cerca de esta virtud moral es de notar que aquel se dice fuerte que puede sufrir las tentaciones carnales y quedar libre de ellas cuando es tentado. Y por esto dice aquí que sufrió esta virtud *siete lobos denodados*, conviene saber, que supo sufrir las tentaciones de los siete pecados mortales, y que no la vencieron sus tentaciones, mas que *fueron* de ella *todos mordiscados*, conviene saber, que los pudo sacudir de sí y quedar libre de ellos. Y por este combate de tentaciones dice San Pablo a los Romanos que la virtud es perfecta en la enfermedad.

Quéxase agora el Revulgo porque esta virtud de

---

(1) Gallardo: «que ella ha de defender».

la Fortaleza es venida en tanta flaqueza, que ni
puede ni se sabe defender de las tentaciones que
son de la carne ni en la carne. De la carne, como
son luxuria y cobdicia, etc. En la carne, como es
enfermedad del cuerpo, etc. Y dice que *tiene las* 5
rodillas floxas porque todo va a tierra cuando aquéllas no están firmes. Y dícelo a exemplo de Job, a
quien sus amigos increparon diciéndole que sabía
esforzar a los flacos cuando estaba sano, y agora
que era tentado de enfermedades tenía las rodillas 10
floxas, de tal manera, que ni sabía ni tenía fuerza
para sufrir la tentación. El Filósofo, en el tercero
de las Eticas, cerca de esta virtud de Fortaleza
dice que los hombres temen la mala fama, la cual
debe temer el bueno y virtuoso, porque el que no 15
la teme es desvergonzado. Las otras cosas que no
vienen por culpa del hombre, así como pobreza o
enfermedad, muerte o enemistad, dice que el varón fuerte no las debe temer. Dice asimismo que
algunos son temerosos de la muerte en las bata- 20
llas, pero que son osados en el repartir sus riquezas, y también vemos el contrario, porque algunos
hombres hay osados para ponerse al peligro de las
armas, y son tan estrechos en la liberalidad que
aún para lo que cumple a sus personas no tienen 25
ánimo de gastar. Y por estos tales dice Tulio en el
segundo de los Oficios: No es por cierto de consentir que aquel que no es vencido de miedo sea vencido de cobdicia, y aquel que sabe sufrir muchos

trabajos sea vencido de un pequeño deleite carnal.
Así que fuerte se dirá el que sabe sufrir la tentación de cualquier manera que venga. Dice asimismo Aristóteles que los temerosos en las tentaciones
5 desesperan y los fuertes proveen, y dice que muchas veces los medrosos, por parecer fuertes son
soberbios, pero que, vencidos, al efecto se manifiesta su condición natural. Los fuertes, antes de
los peligros son quietos y seguros, y en los peligros
10 son diligentes y sostienen virilmente los infortunios. Y pone cinco maneras de Fortaleza: la primera dice que procede de vergüenza, como la de
Hector, que decía: Qué dirán de mí si huyo. La
segunda es de aquellos que se tienen firmes en los
15 peligros por la premia que les hace el capitán. La
tercera es de los caballeros que son usados en la
guerra, y por el mucho exercicio de las armas parecen fuertes. La cuarta manera de Fortaleza es la
que proviene de la ira. La quinta es de aquellos
20 que por las muchas victorias que han habido, teniendo esperanza de ser vencedores, parecen fuertes en los peligros. Pero dice que todas estas maneras de Fortaleza no se pueden decir verdadera
Fortaleza. Los que verdaderamente se pueden lla-
25 mar fuertes dice que son aquellos que piensan cuán
arduas y de qué calidad son las cosas que acome-
ten o los peligros que esperan, y por sola virtud
los sostienen con Fortaleza y esperan que la muerte que ovieran será digna de honra. *Contra las ove-*

jas coxas muestra todo su poder. Hacer injuria o
fuerza a las ovejas coxas, conviene saber, a los
hombres flacos y sin amparo, no se puede decir
fuerza ni aun Fortaleza, antes la diremos inhuma-
nidad y crueldad. Fuerte y noble se puede decir 5
no por cierto el que hace, mas el que defiende la
injuria.

Así que esta copla quiere decir que sin la virtud
de la Fortaleza ni tiene fuerza para resistir las
tentaciones ni para defender las fuerzas, y que 10
muestra todo su poder contra los flacos.

COPLA XIII

La otra perra ventora
que de lexos barruntaba
y por el rastro sacaba
cualquier bestia robadora,
y las veredas sabía
a donde el lobo acudía,
y aun las cuevas raposeras,
está echada allí en las eras
doliente de modorría.

Aquí hace mención de la Prudencia, que es una de las cuatro virtudes cardinales, y llámala *la perra ventora*, porque así como hay perros que de su natural huelen y sienten la caza de lexos, así el oficio de esta virtud es sentir y conocer las cosas que pueden acaecer para escusar los inconvenientes y proveer las cosas y casos que acaecen en la vida, para bien y seguramente vivir. Y para mejor declaración de todas estas cuatro virtudes cardinales, es de saber que toda virtud moral, según el Filósofo, es una costumbre asentada ya en el hombre por muchos actos que de ella hizo, los cuales eligió su apetito. Y cuando la razón es verdadera y el apetito recto, la elección que el hombre hiciere de las cosas que se le representan, de necesario será virtuosa. Y cuando el apetito está dañado, la razón y la costumbre se pervierten. Esto es cuanto al entendimiento plático, cuyo bien

es saber la verdad y aplicarla al apetito recto.
Tornando agora a esta virtud de la Prudencia, el
Filósofo dice que es una elección hecha con recta
razón de las cosas agibles, según lo cual, pruden-
tes serán dichos aquellos que aconsejan a sí y a los   5
otros en las cosas buenas referidas al bien vivir.

Y esta virtud de la Prudencia tiene tres partes:
La primera, entendimiento, que dispone y ordena
las cosas presentes, habiendo respecto a las cosas
pasadas. La segunda es saber refrenar la lengua y   10
ser modesto en sus palabras, y de esta dice Salomón en sus Proverbios que aquél es prudente que
sabe templar su boca. La tercera es saber huir del
mal y escoger el bien.

Cualquier bestia robadora. Dicho es arriba que el   15
oficio de la Prudencia es conocer los inconvenientes, que son figurados acá por bestias robadoras.
Y las veredas sabía. Ciertamente la Prudencia muchas veredas y caminos ha de saber, por ir por camino derecho y no topar con el lobo, que es el   20
pecado que tienta todas las horas el ánima. *Está
echada.* Aquí concluye que esta Prudencia *está echada y doliente de modorría.* Esta dolencia de la modorría asienta en la cabeza y hace tan gran turbación al pasionado de ella, que en tanto que le du-   25
rare no puede discernir ni dar juicio cierto de lo
que le cumple. Y por esto dice acá que esta virtud
estaba tan doliente aquel tiempo, que no usaba
de su oficio.

Así que esta copla quiere decir que la virtud de
la Prudencia, cuyo oficio es conocer los inconvenientes y engaños y disponer rectamente las cosas
que ocurren en la vida, está tan mal dispuesta,
5 que ha perdido el verdadero conoscimiento de las
cosas.

COPLA XIV

Tempera quitapesares
que corrie muy concertado,
reventó por los ijares
del comer desordenado;
y no muerde ni escarmienta
a la gran loba hambrienta,
y aun los zorros y los osos
cerca della dan mil cosos,
pero no porque lo sienta.

Esta es la virtud de la Temperanza que, si bien se mira, sirve a las otras tres virtudes ya dichas, lo cual se muestra claro: porque si la Justicia no es templada, luego es rigurosa y se puede llamar severidad, que es cerca de crueldad; e si la Fortaleza no se templa, luego se llama temeridad y locura. La Prudencia menos será virtud sin ella, porque el hombre destemplado no puede ser prudente. Así que esta virtud es necesario mezclarse con todas las otras para que sean perfectas.

Llámala aquí *Tempera quitapesares* y no sin causa, porque todo hombre templado en sus actos suple los defectos y escusa los excesos que turban la persona. Y en este manera quita los pesares y engendra los placeres al que la tiene. Aristóteles dice que la Templanza conserva la igualdad de la razón cerca de la dilectación o tristeza. Y esta virtud tiene tres partes: Continencia, Abstinencia,

Modestia. La Continencia es virtud que hace el
hombre refrenar y medir sus apetitos con la razón.
E si la cobdicia, que se toma aquí por *loba hambrienta*, se pungiere para abarcar cosas allende de
5 lo que su persona y habilidad requiere, que la sepa
refrenar. Abstinencia tiene dos partes: la una es
abstenerse de no tomar ira, o si la tomare no hacer ni decir cosa empecible; la otra es abstenerse
en el mantenimiento demasiado, y en la luxuria,
10 que daña el cuerpo y altera la complexión y cría
enfermedades que traen a la muerte; la otra es Modestia, que es una virtud que hace al hombre haber autoridad. E dice que esta virtud de Temperanza está perdida y *reventó del comer demasiado*, con-
15 viene saber, que en todos los actos de su oficio fué
excesiva y demasiada, y de tal manera, que *no
sentía los cosos de los zorros* ni de *los osos*. Aristóteles dice que hay algunos que son incontinentes,
otros hay que son destemplados. El incontinente
20 es aquel que vee y conoce el exceso que hace, pero
tiene tan flaca la resistencia que no se puede con-
tener de lo hacer. El intemperado es aquel que,
por la gran continuación de los vicios, tiene ya
corrupto el conocimiento verdadero de las daño-
25 sas cosas, de tal manera, que la virtud de la Temperanza no tiene vigor en él para las conoscer ni
resistir. Y este tal, porque participa con bestia,

---

17 *los cosos*, las carreras.

dice aquí que estas dos bestias, oso y zorro, dan
cosos cerca de él, conviene saber, que participa
con ellas y que no lo siente.

Así que esta copla quiere decir que la virtud de
la Temperancia, que es avenidora de la razón con 5
el apetito, está corrompida y dañada de tal manera que hace bestiales a los hombres que carecen
de ella.

Cerca de lo que toca a estas cuatro virtudes car-
cardinales, alegado avemos brevemente algo de lo 10
que el Filósofo y otros algunos escribieron, pero
no todo lo que se puede alegar. Una cosa se debe
por cierto creer, que cualquier que no las guarda
no puede ser guardado. Y así como el príncipe o
el gobernador de la ciudad mandó pregonar que 15
todos guarden su estatuto y ordenamiento so cierta pena, a fin que su tierra sea bien gobernada,
así bien la Providencia divina para sostener el
mundo que sea bien gobernado, pregona y manda
que todos guarden estas cuatro constituciones, que 20
son estas cuatro virtudes. Y la pena que pone al
que no las guardare, por experiencia vemos cada
hora cómo aún acá en esta vida se executa en el
trasgresor de ellas, porque si es injusto y flaco, luego cae, y si es imprudente y destemplado, luego se 25
pierde. Y no crea ningún rey ni príncipe que el
poderío de las huestes ni la multitud de los teso-
ros, ni menos la fortaleza de sus castillos y tierras
le pueden conservar su imperio si no tiene estas

cuatro perras o pilares que lo sostienen, guardan
y acrecientan.

Salustio en la *Conjuración de Lucio Catilina* alega que en la proposición que Catón hizo a los cón-
5 sules y senadores de Roma les dixo: No queráis
pensar que nuestros mayores con armas hicieron
de pequeña grande nuestra república, porque si
ello así fuese hecho, más hermosa sería la nuestra;
tenemos más ciudades, más armas y más caballos
10 que ellos tuvieron, pero tenían ellos otras cosas que
los hicieron grandes, las cuales nosotros no tenemos, conviene saber: en casa, industria; fuera, justo imperio y el ánimo para aconsejar libre, no subjeto a pecado ni a deseo malo. Y quien bien mirare
15 estas tres cosas que amonesta Catón, verá que todas las otras cuatro virtudes se entenderán en ellas,
mediante las cuales Roma creció. En lugar de éstas, dice él, tenemos el arca de la república pobre,
la de cada uno rica. Loamos las riquezas, procura-
20 mos ociosidad y no descernemos los buenos de los
malos, porque todo el galardón de la virtud po-
see la ambición. Y entendiendo cada uno en su
bien particular, y dexando sin guarda el procomún,
cualquiera se entra en él y lo destruye, según que
25 se quexa aquí la república, que estaba todo perdido en aquella sazón.

COPLA XV

Vienen los lobos hinchados
y las bocas relamiendo,
los lomos traen ardiendo;
los ojos encarnizados:
los pechos tienen sumidos,
los ijares regordidos
que no se pueden mover,
mas cuando oyen los balidos
ligeros saben correr.

Cosa cierta es cuando no hay perros en el hato, que luego acuden los lobos. Y cuando estas cuatro virtu- 5 des no reinan en el pueblo, luego entran en ellos tiranos: los cuales dice aquí la re- pública que vienen acompañados de todos los siete 10 pecados mortales, contenidos en esta copla y figu- rados en esta manera.

Vienen hinchados, conviene saber, del pecado de la soberbia; *y las bocas relamiendo*, dice por la gula; *los lomos traen ardiendo*, entiéndese por la luxuria; 15 *los ojos encarnizados*, dice por la ira; *los pechos tiene sumidos*, entiéndese por la envidia; *los ijares regordidos que no se pueden mover*, dice por la de- sidia. *Mas cuando oyen los balidos, ligeros saben co- rrer*, ésto se entiende por la falsa cobdicia. 20

Allende de ésto es de saber que la soberbia trae en su compañía desobediencia, contienda, vana- gloria, pertinacia, discordia, presunción.

El segundo pecado que pone es de gula, la cual
es acompañada de destemplamiento de la lengua,
de torpeza del entendimiento, de embriaguez. La
luxuria es acompañada de ceguedad del entendi-
5 miento, de inconstancia y poca firmeza, de ensu-
ciamiento y vileza, y de pena y arrepentimiento.
La ira es acompañada de contienda, deshonestidad,
indignación, menosprecio, blasfemia, homicidio.
La envidia viene acompañada de odio, tristeza
10 aflicción y murmuración. La desidia trae consigo
malicia, desesperación, flaqueza de corazón, tor-
pedad, temor. La avaricia trae consigo hurto, rapiña, usura, simonía, mentira, perjuro y engaño.
   Todos estos siete pecados mortales dice aquí
15 que reinaban en los lobos, acompañados cada uno
de las compañeras que habemos dicho. Todo buen
juicio debe conocer qué obra hará esta tal compañía donde quier que reinare y reina, sin duda en
la tierra do el príncipe, dexado el cuidado de la
20 gobernación general, entiende solamente en sus
placeres y deleites.
   Dice por la cobdicia que cuando los lobos oyen
los balidos, ligeros saben correr. Cierto es que el
lobo es un animal que se pone en asechanzas y
25 cuando oye el balido de las ovejas, presto es con
ellas a se cebar, y no solamente se ceba en una,
mas muerde tres o cuatro y destruye toda la manada. Así bien los cobdiciosos y abarientos, que
figura aquí por lobos, cuando aullan y oyen la di-

visión o discordia en las tierras, luego corren a ella, no para escusar ni para criar y sostener, mas para fin de cebar en ella su cobdicia.

Así que esta copla dice que los tiranos, que compara a los lobos, han lugar de hacer mal en los 5 pueblos y vienen acompañados de los siete pecados mortales.

COPLA XVI

Abren las bocas rabiando
de la sangre que han bebido;
los colmillos regañando
parece que no han comido;
por lo que queda en el hato,
cada hora en gran rebato
nos pone con sus bramidos;
desde que hartos, más tran-
                    [sidos
los veo cuando no cato (1).

Estos tiranos que
habemos dicho, dice
que tienen las bocas
abiertas, rabiando de
la sangre que bebieron. 5
Y por cierto bien se
puede decir de la san-
gre cuando del sudor
y trabajo de los popu-
lares allegan riquezas. 10

Los colmillos regañando, con rabia de alcanzar.
Y cierto es que la cobdicia es tan insaciable, que
ni con mucho se harta ni con poco se contenta, y
por gran abundancia que tenga, siempre le queda
algo que cobdiciar; y para hinchir este su deseo es 15
menester poner gran rebato y turbaciones en los
pueblos. Y cerca de la gran hambre de la cobdicia
y de cómo es raíz de todos los males, mucho está
escripto, y cada hora vemos los daños que trae la
insaciabilidad de los bienes temporales, los cuales, 20
en la verdad, no son más que para sostener la vida:

---

(1)   Gallardo: *paresce* cuando *me* cato.

toda la demasía da trabajo al que sobra y pena al que mengua porque no puede gozar de lo suyo el que pena por lo ageno.

Léese en la Sagrada Escritura que Dios proveyó al pueblo de Israel en el desierto con maná cogido 5 del rocío del cielo y mandó que cada uno cogiese de ella lo que le bastase para su mantenimiento de un solo día; todo lo que más se cogía se podrecía y dañaba. Tres cosas a mi ver se pueden aquí notar por exemplo de nuestra vida. La primera, que la divina 10 Providencia tiene especial cuidado de proveer a todos, pues envía del cielo mantenimiento común. La segunda nos amonesta que trabajemos debidamente en esta vida para la sostener, pues dice que nos levantemos y tomemos trabajo en coger aquella 15 maná, porque no piense ninguno que le han de llevar en casa los bienes estando ocioso: necesario es que se levante y trabaje a los buscar, a lo menos por escusar la ociosidad, madre de muchos males. La tercera dice que se podrecía y dañaba si más se 20 cogía de lo que bastaba para mantenimiento de aquel día. Confórmase con esto la oración que hacemos del *Pater noster*, en la cual no pedimos a Dios que nos dé mantenimiento para uno ni para diez años, mas pedímosle que el pan de cada día 25 nos lo dé hoy. Porque El quiere que, pues cada día nos da vida y mantenimiento, cada día alcemos los ojos a El. Y también no pedimos más de para hoy, porque no somos ciertos de la vida de mañana.

Y quien bien considera ésto y los trabajos y peligros que padece el que coge más bienes temporales de los que le bastan para la vida, que es comparada a un día, querría saber cómo no vee que aquella demasía proceda estando guardada sin provecho de ninguno, y el que la guarda, pena y aun podrece en la guardar y da pena a los menguados de aquello que él tiene sobrado y a quien debía ser comunicado. De la sal asimismo vemos que tomado lo necesario es tanto sabrosa y provechosa, cuanto desabrida y dañosa la que más de lo que conviene se toma.

Ni por ésto pensamos contradecir los grandes estados ni los grados y diferencias que debe haber entre los hombres según la condición de cada uno, porque aun en el cielo dice el santo evangelio que hay grados y muchas mansiones, cuánto más lo debe haber en la tierra. Ni menos decimos que se deseche la abundancia de los bienes habidos de buena parte, porque según dice el filósofo Aristóteles en el primero de las *Eticas*, sin ellos ninguna cosa clara y virtuosa se puede hacer. Pero débese mucho reprender la avaricia de aquellos que lo dexan de comunicar donde, cuando y como deben, sin ningún fin ni provecho suyo ni de otro, porque estos tales bienes son los que podrecen. Hay algunos que por igualar con los mayores o porque no se les igualen los menores, trabajan por adquirir bienes allende de lo que han necesario. Y ésta por

cierto es una solicitud vana, y el que la tiene se da
a sí mismo tanta pena, que ninguno se la puede dar
mayor. Especialmente si toca de ambición, procura
de traer secuela de gente y tener servidores demasiados de los que para su proveimiento ha menes- 5
ter. Aquel Menedemo Terenciano, viéndose servido de mucha familia, increpándose a sí mismo decía: ¿Tantos han de estar solícitos para proveer la
necesidad de uno solo? ¿Tantos gastos tengo yo
solo de hacer? Como quien dice: indiscretamente 10
lo hago. Y sin duda no es bien considerado tener
demasiados servidores, porque el cuidado de lo que
se requiere para su proveimiento hace crecer la
cobdicia y pone en trabajos de esta vida y en perdición de la otra. Y cerca de la doctrina que se re- 15
quiere para refrenar la cobdicia de bienes demasiados, muchos escribieron; cada día vemos grandes
predicadores y reprehensores de ella. Pero también
los doctrinadores como los doctrinados vemos muchas veces incurrir en este vicio que reprehenden; 20
porque la cobdicia no tiene cerradores ni suelo,
y hallamos muy pocos hombres que se lo pongan
tanto fuertes que no les quede algo por cobdiciar;
pero el que mejor la pudiere templar, sin duda podrá mejor vivir. Todo hombre que fuere verdadero 25
y diligente puede ser seguro que no le fallezca lo
necesario para la vida, la cual antes nos falta para
comer el mantenimiento, que falte el mantenimiento para sostener la vida. Dios me rige, decía David

en el psalmo, y ninguna cosa me fallecerá. Y no
hay duda que si miramos a Dios, El nos rigirá, y
si nos rige, no nos fallecerá lo que ovieremos menester.

5   Así que esta copla dice que estos tiranos y todos los hombres muy cobdiciosos no se hartan por
mucha abundancia que tengan, y que su desorde-
nada cobdicia acarrea grandes daños en los pueblos.

COPLA XVII

¿No ves, nescio, las cabañas
y los cerros y los valles,
los collados y las calles
arderse con las montañas?
¿No ves cuán desbaratado (1)
está todo lo sembrado,
las ovejas esparcidas,
las mestas todas perdidas
que no saben dar recaudo?

Después que la república ha respondido los males que por defecto del gobernador le vienen, dice agora: *¿No ves, nescio?* Como quien dice: ¿Tan indiscreto eres que no vees que cuando carecemos de buena y debida gobernación todo arde y se consume? Conviene saber, *las cabañas y los cerros*, que entiende por lo poblado y despoblado. *¿No ves cuán desbaratado está todo lo sembrado?* Esto dice por el bien que hombre siembra en reino diviso y desordenado, ni nace ni da fruto, porque el tiempo lo desbarata y no da lugar que la justicia haga su oficio. *Las ovejas esparcidas*, conviene saber, las gentes que tienen derramadas y diversas opiniones. *Las mestas todas perdidas.* Los ayuntamientos que hacen los pastores se llaman mestas, donde han sus

(1)   Gallardo: «*Y* no ves desbaratado—*estar* todo lo sembrado—las mestas todas *pacidas.*

consejos y hacen sus ordenanzas y dan proveimien-
tos para gobernación de sus ganados. Estas mestas, conviene saber, el Consejo Real y las Congre-
gaciones y Ayuntamientos, que se hacen por los re-
5 gidores y justicias en las ciudades, todo, dice aquí
el Revulgo, que está perdido y *que no saben dar*
recaudo, como quien dice no saben dar consejo.
Ciertamente se vee por experiencia que en tiempo
de división todo buen consejo fallece en aquellos
10 que lo deben tener, pues no lo tuvieron para
escusar.

Así que esta copla quiere decir que por falta de
la gobernación del rey y la osadía de los tiranos y
cobdiciosos, todo está perdido, y ni el Consejo Real
15 ni menos los Ayuntamientos de los pueblos saben
dar remedio en los males.

COPLA XVIII

Allá por esas quebradas
verás balando corderos,
por acá muertos carneros,
ovejas abarrancadas,
los panes todos comidos
y los vedados pacidos,
y aun las huertas de la villa:
tal estrago en Esperilla
nunca vieron los nacidos.

En esta copla con-
cluye el Revulgo su
respuesta y dice los
males que todos en ge-
neral sufren. *Balando* 5
los corderos, conviene
saber, gimiendo los
inocentes y hombres
sin culpa, y general-
mente todos estados del reino. Y ciertamente mu- 10
chas veces permite Dios que se hagan pugniciones generales en las tierras, también en los buenos como en los malos, por diversos respectos,
conviene saber, a los malos porque son malos, y a
los buenos aunque son buenos, porque consienten 15
los malos, y pudiéndolos castigar o procurar que
sean castigados, dexan crecer sus pecados y maldades, de ello por negligencia, de ello por poca osadía,
de ello por ganar o por no perder o por querer complacer o no descomplacer a los malos ni les mostrar 20
enemistad, o por otros respectos agenos de aquello
que hombre bueno y recto es obligado de hacer. Y
estos tales, como quiera que no son partícipes con

los malos en los males, pero son partícipes con ellos
en padecer las pugniciones generales que Dios envía en las tierras.

Los panes todos comidos. Dice los panes porque
5 la fuerza que se entiende por el pan estaba ya co-
mida y no había ninguna para resistir el mal. *Los
vedados.* Dice por las cosas sagradas, que asimismo están *pacidos,* conviene saber, que recibían
violencia. *Las huertas de la villa.* Así como las huer-
10 tas bien guardadas y proveídas abundan en fruto,
así las ciudades y villas, do se guardan sus privile-
gios y buenos usos, florecen en buena gobernación.
Y porque todo estaba corrompido, dice que también *las huertas de la villa,* conviene saber, los pri-
15 vilegios y buenos usos de los pueblos. *Tal estrago
en Esperilla.* Agora da fin a sus quexas, mostrando
gran dolor de su perdición, y dice que tal estrago
nunca vieron los nacidos en *Esperilla,* que quiere
decir en España, a significación de una estrella que
20 los griegos llaman *Esperos,* por la cual se guían
cuando navegan en España.

Quien quisiere ver estos estragos de que la república se quexa lea la crónica del tiempo de aquella
división y allí los verá por estenso.

25 Así que en esta copla quiere decir cómo todos
los estados, así eclesiásticos como seglares, recla-

---

21 *Esperilla,* «por los campos ásperos de España».
Glosa en Gallardo.

man de los daños que reciben, y que toda la
fuerza de bien hacer está perdida, y los privile-
gios y buenos usos de las ciudades y villas están
quebrantados y pervertidos y, sobre todo, concluye que tal estrago nunca vieron los nascidos en 5
España.

REPLICATO DEL PROFETA

COPLA XIX

Ala, eh, Revulgo hermano,
por los tus pecados penas;
si no haces obras buenas
otro mal tienes de mano:
mas si tu enfotado fueses (1)
y ardiente tierra pacieses
y verdura todo el año,
no podrías haber daño
en el ganado ni en mieses.

El profeta, oídas las quexas del Revulgo, replica agora y dícele *que por sus pecados pena*. Job a los veinte y cuatro capítulos dice que Dios hace reinar el hombre hipócrita por los pecados del pueblo. Y fundando su replicato sobre esta autoridad, la culpa que el pueblo impone al rey, torna el profeta a imponer al pueblo, diciéndole que sus pecados acarrean tener gobernador defectuoso. Y aún le dice más, que *si no hace obras buenas* que terná peores males. Aquí se notan dos cosas: la una es la culpa imputada al pueblo; otra es una amenaza y amonestación que hace el profeta al pueblo. Y cuanto a la primera, cierto es que dado que el rey tenga algún defecto o ne-

---

(1) *enfotado*. En el texto de Gallardo, *enhucido*. Confróntese nota a la copla XX.

gligencia, si los principales del reino, como leales a su rey y amigos de su tierra, los encubrie-
sen con lealtad y los supliesen con prudencia, ni
su rey habría disfamia ni su tierra trabajos. Pero
acaece que aquellos cuyo cargo principal es con- 5
sejar al rey y tirarle de los excesos y suplir sus
defectos, estos mismos se los crían y favorecen.
Algunos, por complacer a fin de haber mercedes;
otros, pensando mudar sus estados a mayores
cosas de las que tienen, turban los reinos y los 10
ponen en guerras y escándalos, publicando los defectos del príncipe, afeando su persona a fin de
se acrecentar en reino turbado, y con estos semejantes consejeros y gobernadores se crían las disensiones, do proceden las destruiciones en los reinos, 15
contrario mucho de lo que los buenos católicos y
hombres leales deben hacer y lo que los adelanta-
dos del rey Nino, aunque bárbaros, hicieron en su
reino, los cuales como conociesen el defecto de su
rey le pusieron en tal guarda que ninguno de su 20
señorío lo sintiese; y los mandamientos y gobernación justa que ellos acordaban, publicaban que
emanaba de su rey, dando a él la gloria, y en esta
manera tuvieron paz todo el tiempo que aquella
lealtad mantuvieron. 25

La otra es amonestación que hace para que se
convierta y haga buenas obras, el fundamento de
las cuales es tener Fe, Esperanza y Caridad, que
son las tres virtudes teologales, sin las cuales nin-

guno puede acertar en el camino de la final prosperidad; y por Fe, dice *enfotado*, porque los pastores a cualquier que tiene fe en sí mismo dicen
que es enfotado. *Ardiente tierra*, dice por la Ca-
5 ridad, porque todo aquel que tiene caridad arde
en amor de Dios y del próximo; *Verdura*, dice por
la Esperanza, que significa lo verde. Y porque habemos de ser bastantes en estas virtudes y no fallecer en ninguna de ellas todo el tiempo de la vida,
10 pone aquí *todo el año* por toda la vida. Y cuando
toca a la Fe, que es la primera virtud teologal, es de
saber que Sant Pablo dice que la Fe es una lumbre
espiritual, la cual dice Sant Gregorio que no tiene
galardón cuando se prueba por razón humana. Y
15 Sant Pablo a los hebreos dice que imposible es el
hombre sin Fe placer a Dios; y conforme a esto
Sant Tomás en la *Secunda secundae* dice que la per-
fección del hombre no solamente consiste en aquello que por su natura le competa, mas también
20 consiste en aquello que le es dado de una perfec-
ción sobrenatural de la bondad divina, que le hace
hábil para creer la Fe, la cual firmemente creída
luego aplace a Dios, y siendo apacible a Dios, luego
goza de la verdadera felicidad. Donde se prueba
25 claro que el fundamento del bien que deseamos es
la Fe. La Esperanza es una virtud que el pensamiento pone de alcanzar aquello que el ánima desea mediante los buenos méritos, y ésta es la verdadera esperanza. Verdad es que ésto no puede estar

sin alguna mistura de Fe, pero la Fe es en las cosas
pasadas y en las cosas por venir: la Esperanza solamente es de las futuras. Y cerca de esta virtud
no alarguemos más, salvo que Sant Agustín en el
Enchiridion dice que la Esperanza no es sino de ⁵
las cosas que pertenecen a Dios, el cual se muestra
tener cuidado de aquellos que en El esperan. Con
lo cual concuerda el Psalmista en el psalmo veinte
y seis donde dice que Dios hace salvos a los que
tienen en El esperanza. La Caridad es otra virtud ¹⁰
teologal que no puede asentar sino en corazón limpio y en consciencia pura, y con esa virtud tiene
hombre a Dios contento, y sin ella descontento, y
a sí descontento. Cerrad sobre todo y no penséis
haber bien ninguno acá ni allá hasta que mediante ¹⁵
la Caridad le tornéis a aplacar y tener contento.
Y porque cerca de esta virtud está mucho y por
muchos escripto, concluyamos sobre lo que dice
Sant Pablo, conviene saber, que la mayor de las
virtudes es la Caridad, y que todos los otros bienes ²⁰
que se hacen no valen nada si ella no interviene
en los hacer, y el que careciendo de esta virtud no
hubiere gloria en esta vida, no espere de la haber
en la otra.

Así que en esta copla parece que el profeta impu- ²⁵
ta la culpa de sus males a la república y dícele que
mayores los ha de padecer si no tiene Fe, Esperanza y Caridad, que son las tres virtudes teologales.

COPLA XX

Mas no eres envisado
en hacer de tus provechos:
echaste a dormir de pechos
siete horas amortiguado.
Torna, tórnate a buen hanzo,
enhiéstate ese corpanzo (1)
porque puedas revivir;
si no, teme que el morir
te verná de mal relanzo.

Toda traición, todo pecado y toda maldad procede de necedad, y cuando algún hombre que nos parece agudo errare, creed que no es agudo y que fué necio, a lo menos en aquello que erró; y el que parece necio, si acierta, creed que fué discreto en aquello que acertó. Así que el necio, en cuanto fuere necio, nunca hace cosa que le cumpla, y por eso dice: *No eres envisado en hacer de tus provechos.* Esto se entiende en las cosas virtuosas, que se enderezan a bien vivir para alcanzar la felicidad verdadera, ca las otras que parecen agudezas usadas en estos trabucamientos mundanos, cosas son que acaecen por casos fortuitos, ministros de la Providencia divina, que se enderezan a otros fines, cuya declaración no hace al presente caso.

---

(1) Gallardo: *enhucia tu* ese *cospanco*. Modifica el ánimo, alimpia tu conciencia.

Dice agora que se *echa a dormir de pechos siete
horas amortiguado*, entiéndese porque está envuelto en todos los siete pecados mortales. E dice *de
pechos* porque aquel que está de pechos está boca
ayuso, mirando la tierra y las cosas de ella, que 5
son vanas y transitorias, y no está boca arriba
mirando el cielo y las cosas de él, que son santas
y durables. Dícele *amortiguado* porque si un solo
pecado mortal tiene preso a alguno, aquel tal se
contará por amortiguado mientras lo tuviere, cuán- 10
to más si reinan en él todos siete, según dice aquí
el profeta que reinaban en el pueblo.

Tornate a buen hanzo. Dicen los labradores que
aquel está de buen hanzo que está a su placer.
Y porque ninguno está en pecado mortal que no 15
esté en pesar, amonesta aquí que torne a buen
hanzo, conviene saber, que retrayéndose del mal,
que pone tristeza, se convierta al bien, que da
alegría. *Enhiéstate ese corpanzo*. Dícele que ande
derecho, como lo debe hacer y no encorvado, como 20
lo hace. *Porque puedas revivir*. Revive y aun re-
nace todo aquel que sale de pecado mortal y torna a estado de gracia. *Si no, sepas que has de morir*. Aquí le amenaza con la muerte perpetua que
le *verná de mal relanzo*, conviene saber, presto, 25
cuando no pensare.

---

13   *a buen hanzo*, «a buena recordación o fuzia».
Glosa en Gallardo.

Así que esta copla quiere decir que no sabe el
pueblo lo que le cumple, porque está adormido y
envuelto en todos los siete pecados mortales, mirando las cosas terrenas; y amonéstale que torne a
5 buena vía; si no, que le está presta la muerte perpetua, que es la peor.

COPLA XXI

Si tu fueses sabidor
y entendieses la verdad
verías que por tu ruindad
has avido mal pastor.
Saca, saca de tu seno
la ruindad de que estás lleno
y verás como será
que éste se castigará
o dará Dios otro bueno.

En la copla diez y nueve es declarado que por los pecados del pueblo da Dios príncipe defectuoso e hipócrita. 5 Aquí en esta copla lo torna a referir y lo dice tan claro que no es menester declaración.

Saca, saca de tu seno. En el seno, conviene 10 saber, en el pecho se conciben las maldades y pecados que cometemos: por esto cuando nos punge la contrición de algún pecado que cometimos, naturalmente vamos a darnos puñadas en el pecho como quien castiga al que erró. Léese en la 15 primera tragedia de Séneca que el rey Teseo decía a Hércules porque mató a su mujer y hijos: Hiérete bien los pechos, porque pechos que tanto mal concibieron no se deben herir con pequeño golpe. Así que dice aquí: *Saca de tu seno la ruindad,* con- 20 viene saber, los pecados que has concebido, purgándote de ellos y haciendo penitencia. Esto hecho le asegura que aquel gobernador se castigará, vien-

do el pueblo castigado, *o que dará Dios otro bueno.* Y es de saber que por causa de la división que
en el reino había en aquella sazón, la tierra pa-
decía robos y latrocinios, tantos y tan grandes
5 y tan comunes, que no había parte dél que care-
ciese de fuerzas y delitos. Y estando arraigados
los males de tal manera, que era remedio de ellos
fuera de todo pensamiento humano, Dios, remedia-
dor en los estremos infortunios, movido más por
10 su misericordia que por la enmienda del pueblo, le
dió por su reina y pastora la reina Doña Isabel,
hija del rey Don Juan el Segundo, que casó con el
rey Don Fernando de Aragón, por cuya diligencia
y gobernación en muy poco tiempo se convirtió
15 toda la injusticia en justicia, toda la soberbia en
mansedumbre, y todas las guerras y disensiones,
que había muchas y de diversas calidades, se con-
virtieron en paz y sosiego, de tal manera que todo
el reino gozó de seguridad, y la justicia cobró tales
20 fuerzas, que aquellos que más estaban habituados a
hacer soberbios y delictos vivían tan humildes y
iguales que aun no osaban decir palabra deshones-
ta. Cosa fué por cierto maravillosa que lo que muchos hombres y grandes señores no se acordaron a
25 hacer en muchos años, sola una muger con su trabajo y gobernación lo hizo en poco tiempo. Y así
vimos por obra lo que este pastor profeta dixo mucho tiempo antes, conviene saber, que daría Dios
otro pastor bueno.

Así que en esta copla se dice que si el pueblo
mirase lo que de razón debía mirarse, conocería
que por su culpa ha habido mal pastor. Y por
tanto le amonesta que se quite de las costumbres
que tiene concebidas y que luego verá cómo aquel ⁵
su rey se castigará de las malas costumbres que
le impone, o que le dará Dios otro bueno.

---

6   *se castigará,* se enmendará.

COPLA XXII

Los tus hatos a una mano
son de mucho mal chotuno,
lo merino y lo cabruno
y peor lo castellano.
Muévese muy de ligero,
no guarda tino certero
do se suele apacentar;
rebellado al apriscar,
manso al tresquiladero.

El profeta reprehende en esta copla a todos los de España en general y a los de Castilla en especial. Y es 5 de saber que hay lana merina y cabruna y castellana.

Dice agora aquí que *todos los hatos*, conviene saber, todos los reinos de 10 España, *son de mucho mal chotuno*. Mal chotuno dicen los pastores por los corderos que están flacos y mal dispuestos. Porque en aquel tiempo había división en Castilla y en Aragón y en Navarra y aun en Granada, dice aquí que todos los 15 hatos, conviene saber, todos los reinos de España son malos, y *peores los castellanos*, y da aquí cuatro razones porque son peores que los otros. La primera, los reprehende de movibles, en cuanto

---

17 La glosa en Gallardo interpreta los tres hatos como «los tres estados de la tierra, oradores et defensores et labradores, que si mejor biviesen et más caritativos, non perderían nada».

se dice *muévense muy de ligero*. La segunda, porque no guardan el amor ni lealtad que deben tener
los naturales a su tierra propia que los cría y man-
tiene, en cuanto dice *no guarda tino certero do se
suele apacentar*. La tercera, por cuanto los pasto- 5
res llaman apriscar cuando meten el ganado en el
corral o en la red, reprehéndelos aquí porque son
rebellados al apriscar, conviene saber, porque no
están justos en unión ni se concuerdan, como deben ser concordes a dar paz en la tierra. En la cuar- 10
ta los reprehende de caídos y sin vigor cuando
veen alguna fuerza, y ésto se entiende do dice que
son *mansos al tresquiladero*.

Así que, en conclusión, los reprehende que no se
juntan al bien, y son obedientes al mal.   15

COPLA XXIII

De un collado aquileño
viene mal zarzaganillo (1),
muerto, flaco, amarillo,
pára todo lo estremeño.
Mira agora qué fortuna
que ondea la laguna
sin que corran ventisqueros;
rebosa por los oteros,
no va de buena chotuna.

Como los profetas escribieron reprehendiendo al pueblo de sus vicios y pecados y al fin les anunciaban que [5] les habían de venir infortunios si no se enmendasen y tornasen a Dios, bien así este profeta ha reprehendido hasta aquí los pecados del [10] pueblo, y agora en esta copla y la otra siguiente le anuncia y dice que le han de venir grandes males e infortunios. Y porque Dios dixo al profeta Hieremias que de la parte de Aquilón había de venir tanto mal sobre los moradores de la tierra, por ende [15] dice *que del collado aquileño viene mal zarzaganillo,*

---

(1) *«mal zarzaganillo:* ayre corrupto de que se engendran malas dolencias».* Glosa en Gallardo. En el texto de éste, sigue la siguiente copla:

«Otra cosa más dañosa—Veo yo que non has mirado:—Nuestro carnero, el Bezado,—Va a dar en la reboltosa.—Y aun hay otra más negrilla,—Quel de falsa rabadilla—Muy ligero corredor—Se metió en el sembrador:—A la he haze royn orilla.»

conviene saber, gran infortunio, tal que *pára muerto, flaco, amarillo todo lo estremeño*. El ganado que
pasa al estremo es lo más gordo y más lucido, y
porque los males generales que vienen en las tierras siempre hieren más a los que más tienen, por- 5
que tienen más en que la fortuna les puede dañar,
por ende dice que *pára flaco y amarillo todo lo estremeño*.

Pone otra señal de infortunio que ha de venir y
dice *que ondea la laguna*. Es de saber. que los mari- 10
neros cuando veen que la mar hace ondas sin que
haya viento furioso que las haga, luego creen que
les está presta la fortuna de la mar, y aun dicen
que pues no sienten el viento arriba creen que es
intrínseco debaxo del agua, que hace la tempestad 15
más peligrosa. Séneca en la tragedia de Thyestes
y Atreo dice: La fiera tempestad solicita a los marineros cuando la mar sin viento está hinchada.
Agora el profeta, pues la laguna que se entiende
por la mar, ondea sin que haya viento, dice aquí 20
que ha de haber tempestad y males. Y esta significación porque había olas y movimientos dentro
del reino, que son los peores por ser intrínsecos,
anuncia que ha de venir gran tempestad en él, y
ciertamente así se cumplió, porque luego otro año 25
que estas coplas se hicieron hubo la división en el
reyno de que procedieron muchos daños y males.

---

13   *fortuna*, borrasca, tempestad.

Así que esta copla dice que de la parte de Aquilón ha de venir infortunio grande a todos, y especialmente a los mayores; y este infortunio general certifica porque vee que la mar hace olas sin que corra el viento, lo cual es señal a los marineros de gran tormenta.

COPLA XXIV

Yo soñé esta trasnochada
de que estoy estremuloso,
que ni roso ni velloso (1)
quedará de esta vegada.
Echa, echate a dormir,
que en lo que puedo sentir
según andan estas cosas,
asmo (2) que las tres rabiosas
lobas habrán de venir.

No todos los profetas tuvieron igual profecía, ni la ovieron por una manera, ni menos profetizaban cada vez que querían. En la Sagrada Escriptura se lee que el profeta Eliseo, requerido por el rey de Hierusalem que profetizase el fin de la guerra que él y otros dos reyes iban a hacer, demandó un tañedor para que le despertase el espíritu de profecía por que no lo tenía presente. Otros profetas sabían las cosas futuras por anunciación de ángeles buenos. Otros profetizaban; porque súbito les venía el espíritu de profecía, decían las cosas por venir. Y a otros eran reveladas las cosas futuras en sueños, y en otras muchas maneras, como pa-

---

(1) *roso y velloso:* todo, sin excepción. ACAD. Para Pulgar, *roso* significa *rasurado* o *imberbe.* Véase la erudita nota de MOREL-FATIO en Bulletin Hispanique, IV, 1902, pág. 257.

(2) *asmar,* presumir. Dic. de Auts.

rece por la Sagrada Escriptura. Y los profetas lla-
mábanse en otro tiempo veyentes, los cuales no
solamente veían, mas entendían lo que veían. Esto
dice porque algunos veían cosas que habían de
5 acaecer y no las entendían, así como las espigas y
vacas que vido Faraón, y así como la visión que
vido el rey Baltasar de la mano que escribía en la
pared; pero ni el uno ni el otro entendieron lo que
veían. Así que el verdadero profeta no solamente
10 ha de ver, mas ha de entender lo que ve. Y dice
profeta, porque diciendo lo por venir, declara lo
encubierto. Este profeta finge aquí que le fué re-
velado en sueños.

Que ni roso ni velloso. Quiere decir que ni los
15 chicos ni los grandes carecerían del infortunio que
se le aparejaba a todos continuamente. *Echa, échate
a dormir*. Habla aquí amenazando, como quien dice:
No hagas sino dormir, que yo te anuncio que *las
tres lobas rabiosas* habrán de venir, conviene saber,
20 hambre, guerra y pestilencia, que se siguen en estas
tres coplas adelante.

COPLA XXV

Tu conosces la amarilla
que siempre anda garleando,
muerta, flaca, sospirando,
que a todos pone mancilla.
Aunque traga no se harta,
ni el pensamiento se aparta (1)
de morder y mordiscar,
no puede mucho tardar
que el ganado no desparta.

Primeramente dice agora este profeta que verná hambre común en la tierra, y con razón la llama *amarilla*, porque el hombre hambriento está amarillo y aun marchito. Y quiere decir aquí lo que acaece en tiempo menguado de pan y mantenimientos, en el cual, aunque estemos hartos, pero recelando que ha de fallecer el pan, siempre estamos hambrientos. Otrosí el tiempo de hambre es tan cruel, que hace no tener uno con otro: cada cual piensa de sí, y muchas veces se van las gentes a diversas partes do hay abundancia de mantenimientos por satisfacer a la necesidad de la vida. Y por eso dice: *No puede mucho tardar, que el ganado no desparta.*

---

(1) Gallardo: «ni *los colmillos* aparta». *Garleando*, en la Glosa, *carleando*, «bostezando de fambre».

COPLA XXVI

La otra mala traidora,
cruel y muy enemiga,
de todos males amiga,
de sí misma robadora,
que sabe ya los cortijos,
no dexa madres ni hijos
yacer en sus albergadas,
en los valles ni majadas
sabe los escondredijos.

Aquí dice que verná asimismo guerra, a la cual con razón llama *traidora*, en especial si es dentro del reino, porque aquella tal no puede carecer de alguna mácula, y también porque en las guerras siempre hay otros muchos engaños, y tales que tocan en especie de traición. Dice asimismo que es *de todos males amiga*, y sin duda es verdad, porque las guerras, especialmente las intrínsecas, llenas están de males de dentro y de fuera, y no se guarda en ellas amistad a quien debe ser guardada. Léese en las discordias romanas el planto grande que hicieron unos romanos que vencieron en batalla otros romanos, porque cuando fueron al despojo uno hallaba su hermano muerto, otro su primo, otro su hijo, y su amigo, y así se les convirtió el placer que les dió la victoria en planto y tristeza, viéndose homicidas

21   Alude al episodio con el que Salustio pone fin a
su *Bellum Catilinae*.

de su propia sangre. Do podemos creer que gana
más el caritativo con la concordia que le da su caridad, que alcanza el guerrero con la discordia en
que le pone su cobdicia.

Sabe los cortijos. Esto dice porque la guerra in-
trínseca en todas partes se estiende, conviene saber, en el campo, en las ciudades, en las casas, y
aun dentro de sí mismos tienen los hombres guerras en tiempo de división, la cual permite Dios en
las tierras por los pecados que de diversas calida- 10
des reinan comúnmente en los pueblos. Sant Agustín en libro de la Ciudad de Dios dice que por no
corregir las costumbres corrompidas, suele Dios
permitir las guerras en los reinos.

---

1   Alúdese, concretamente, al último pasaje del *Bellum Catilinae,* de Salustio.

COPLA XXVII

Y también la tredentuda,
que come los recentales,
y no dexa los añales
cuando un poco está sañuda,
cuido que no tardará
de venir y aun tragará
también la su partecilla.
Dime, aquesta tal cuadrilla,
¿a quien no despantará?

Profetiza agora que
verná asimismo pesti-
lencia, a la cual llama
tredentuda, porque
muerde con tres dien- 5
tes, es a saber, que
viene por tres mane-
ras, o por mala dispo-
sición del aire, o del
agua, o de la tierra. Y vemos que la pestilencia 10
hace impresión en los mozos, que dice aquí por
los recentales, más que en los mancebos, ni en los
viejos, porque en los mozos está más el hervor de
la sangre. Pero *cuando está sañuda*, que quiere
decir cuando se encruelece, *no dexa los añales*. 15
Quiere decir que ni perdona viejos ni mancebos,
todos los lleva.

---

4 La *tredentuda*, como advierte la Glosa en Gallardo, es la bestia de la *Profecía* de Daniel, VII, 5:
«et tres ordines erant in ore ejus, et in dentibus ejus».

COPLA XXVIII

Cata que se rompe el cielo,
descerrúmase la tierra,
el nublo todo se cierra,
rebellado, ¿no has recelo?
Cata que vendrá el pedrisco,
que lleva todo a barrisco
cuanto mires de los ojos;
hinca, hinca los hinojos
cuanto yo todo me cisco.

Después que el profeta ha dicho particularmente las plagas que han de venir al pueblo si no se enmienda, en esta copla le quiere provocar a penitencia. Amenazándole como padre que ha voluntad de la corrección del hijo, le dice: *Cata que se rompe el cielo*, quiere decir, cata que el cielo está airado contra ti. *Descerrúmase la tierra.* En la tierra do el avaricia y soberbia reinan, dice Isaías que de sus mismos moradores le viene la corrupción y destruición. *Rebellado ¿no has recelo?* Agora le increpa y dice: Rebelde obstinado, ¿no has miedo de estar tu rebelión sin hacer penitencia? *Cata que vendrá el pedrisco:* como quien dice, guarda que viene tal tempestad que de todo punto lo lleva y destruye todo; y al fin, como buen doctrinador y consejero, le conseja que *hinque los hino-*

---

13   *dice Isaías.* Cf. nota a la Letra XX.

jos, conviene saber, que haga oración. Y en las
otras tres coplas siguientes le amonesta que vaya
a la confesión, y tenga contrición y haga satisfacción, porque sane de los pecados y será releva-
5 do de los males presentes y escuse los por venir.

Y ciertamente, quien bien mirase la doctrina que
nuestra fe católica por estos sacramentos de la Iglesia nos muestra para que mediante aquellos poda-
mos conseguir el fin bienaventurado, claro verá que
10 la ley sin mácula, que dice David que convierte las
ánimas, es aquella que Cristo nuestro redentor manda por su evangelio. La ley que se dió a Moisen en
el monte de Sinay, si puede haber ya nombre de ley,
dice el texto que se dió con truenos, relámpagos
15 y humos y otros grandes sonidos. La cual se estendió en fuerza de armas, según leemos que Moisen y
Josué, caudillos de aquel pueblo, vencieron los reinos de Canaán, y echaron por fuerza de sus sillas y
casas todas aquellas gentes. Mahomad asimismo
20 muchas batallas venció y muchas gentes sojuzgó,
y con vigor de armas puso la ley y la mandó defender. Pero la ley de Christo nuestro Redemptor ni se
dió con truenos ni se estendió con armas, mas como
ella es ley de gracia, así El, por su gracia infinita,
25 mansamente nos dió por ley la humildad, la obediencia, la caridad, sufrimiento, benignidad, mansedumbre, igualdad, devoción y penitencia, y caba-
llero, no en caballo, mas en una asna. Y con estas
armas que dicho habemos, se estendió su ley en

tanta multitud de pueblos. Esto considerado ¿quién
será tan ignorante que no conozca ser esta la verdadera ley sin mancilla, que convierte las ánimas?
Pues que predicando la humildad y mandando sufrimiento de injurias creció en tantas gentes. Léese 5
en la Sagrada Escriptura que estando el profeta
Elías en el monte delante Dios vino un viento terrible que trastornaba los montes y quebrantaba las
piedras, pero dice que no estaba allí Dios. Después
de aquello, dice que vino un gran terremoto, que 10
parecía trastornarlo todo: ni en aquel dice que estaba Dios. Y pasado aquello sobrevino un gran
fuego encendido: tampoco dice estaba Dios en él.
Pasado el fuego, dice que le pasó por la oreja un
soplo delgado y suave, y en aquella suavidad esta- 15
ba Dios. Y por cierto quien bien considerare esta
figura, tal se mostró nuestro Redemptor Jesu
Christo en el monte, porque no vino a dar su sagrada ley con truenos que asombran, ni con humos que
pasan, mas vino con la humildad que aplace y con 20
la caridad que salva. Y así como vemos que después de gran fortuna y tempestad da Dios tiempo
manso y seguro, bien así debrían entender los fieles
que aquellos truenos y relámpagos hechos en el
monte de Sinaí cuando Moisen recibió la ley, sig- 25
nificaban y eran mensageros ciertos de la mansedumbre y seguridad que Christo nuestro Redemptor nos dió por su santa ley sin mancilla, que convierte las ánimas, y que aquella ley era preñada

del verdadero Mesías, y parió cuando él nasció del
vientre virginal de nuestra Señora.

Dice agora el profeta que *hinque los hinojos* y
haga oración, la cual ha de ser hecha con humildad
5 interior, y verdadera y no fingida, e si no es tal,
no vale nada el hincar los hinojos. El rey Sedechías
en la oración que hacía estando preso en Babilonia,
no hincaba los hinojos del cuerpo, mas hinco, Señor, decía él, los hinojos de mi corazón delante de
10 ti. Y estos son los que deben y los que quiere Dios
que sean inclinados delante El en la oración.

COPLA XXIX

Si no tomas mi consejo,
Mingo, de aquesta vegada
habrás tal pestorejada
que te escueza el pestorejo.
Vete si quieres, hermano,
al pastor del cerro fano,
dile toda tu conseja,
espulgarte ha la pelleja,
podrá ser que vuelvas sano.

Aquí amonesta al pueblo que haga confesión y dícele que si no toma su consejo que habrá infortunios, y en 5 conclusión le dice que vaya *al pastor del cerro fano*, conviene saber, al sacerdote del templo (porque *fano* quiere decir templo) y que le diga 10 *toda su conseja*, conviene saber, que declare todos sus pecados y con la intención que se movió a los cometer, y todas las otras circunstancias del pecar. Santo Tomás dice que la confesión ha de ser pura, verdadera y perfecta, declarando el lugar, el 15 tiempo, delante de quién se hizo, cuánto tiempo perseveró en el pecado, cuántas veces lo cometió.

Espulgarte ha la pelleja. Después que dice lo que el pecador ha de cumplir confesando, dice agora lo que el sacerdote debe hacer preguntando. Y sin 20

---

10   «aquel cerro fano, que es el cielo ynpireo». Glosa en Gallardo.

dubda el confesor debe ser un grande inquisidor
tal que si el penitente, o por vergüenza o por ol-
vido o por ignorancia dexare de decir alguna mácula, el confesor con sus interrogaciones le debe
5 *espulgar la pelleja*, de tal manera que le haga todo
delatar.

Podrá ser que vuelvas sano. No dice que será sano
con sola la confesión, mas dice que podrá ser que
lo sea. Y aquí podemos entender que si la confe-
10 sión no es cumplida según habemos dicho y si no
entreviene en ella la verdadera contrición, no puede ser el hombre salvo.

COPLA XXX

Mas, Revulgo, páramientes
que no vayas por atajos:
farás una salsa de ajos
por miedo de las serpientes.
Sea morterada cruda
bien machada y bien aguda
que te faga estortijar,
que no puede peligrar
quien con esta salsa suda.

Muestra agora el profeta la forma que ha de tener el que se confiesa en la confesión que ha de hacer, y dice que no vaya a ella por atajos, conviene saber, que la haga pura y verdadera según en la copla antes de ésta diximos. Y porque la principal cosa de la confesión es la contrición, dice que haga *una salsa de ajos*. Agios en griego quiere decir cosa santa o divina; y de esta tal le aconseja que haga la salsa. *Por miedo de las serpientes*, conviene saber, por miedo de las tentaciones, a significación de la serpiente que tentó a nuestra madre Eva. Y porque contrición quiere decir quebrantamiento, dice que esta salsa *sea morterada*

---

12 «Esta es la contrición del corazón que compara a salsa dajos, que comen los camineros et recueros de noche, porque dormiendo en el campo no se les lleguen culebra ni otro serpiente empecible, ca fuyen dellos los serpientes.» Glosa en Gallardo.

cruda, bien machada etc., quiere decir, que de tal
manera sea machada, que quebrante la dureza del
pecado. *Que te faga estornijar* con el gran dolor del
arrepentimiento que se debe tener en ella. *Que no*
5 *puede peligrar quien con esta salsa suda.* Aquí le da
el remedio cumplido para la salud del ánima, y dice
que si suda con esta salsa, conviene saber, si llora
con el arrepentimiento y dolor de lo que pecó, la
contrición será entera y el contrito será salvo ha-
10 biendo hecho confesión o haciéndola si pudiere.

COPLA XXXI

En el lugar de Pascual
harás tu apacentadero
porque en el sesteadero
pueden bien lamer la sal.
Con la cual, si no han rendido
la grama y lo mal pascido,
luego lo querrán gormar
y podrán bien sosegar
del rebello que han tenido.

Después que el profeta ha aconsejado al pueblo en estas tres coplas precedentes que haga oración y confesión y que haya contrición, en ésta le dice que haga restitución, que en la intención del autor fué fundada esta restitución sobre las primeras palabras de un psalmo del Psalterio, que comienza así: El Señor me rige y ninguna cosa me fallecerá; en el lugar de la refección me asentó. En latín dice: *Dominus regit me et nihil mihi deerit; in loco Pascuae ibi me collocavit.* Y tomadas de este verso estas dos palabras, *in loco Pascuae,* le hizo el comienzo de esta copla e dixo: *En lugar de Pascual harás tu apacentadero.* Y es de saber que este vocablo *Pascual,* en latín, según dice el Papías, quiere decir refección espiritual y perdurable. Y porque esta tal refección se alcanza restituyendo lo mal ganado, conséjale aquí que en aquel *lugar de Pascual,* conviene saber, que en

aquella refección espiritual *haga su apacentadero.*
Quiere decir que cebe en ella: en la cual todo aquel
que cebare puede tener confianza cierta que ninguna cosa le fallecerá. Y ciertamente, el que restituye
5 lo mal ganado, señal es de tener contrición; y si la
tiene, señal es de que está bien con Dios; y si con
El está bien, seguramente puede decir: Dios me
rige, no he miedo que ninguna cosa me falleza,
aunque todo cuanto he restituya, si mal ganado es.
10 *Porque en el sesteadero puedan bien lamer la sal.*
La siesta es al medio día, y la sal se entiende por la
sabiduría. La intención del que hizo esta obra fué
tomar este sesteadero o siesta que es al medio día
por la media edad del hombre, en la cual ya de
15 razón debe *lamer la sal,* conviene saber, debe tener
su juicio entero para saber lo que cumple a su ánima
principalmente, lo cual no puede saber aquel que
no conosce cuánto daño le trae la redención de lo
ageno, porque no lame la sal de verdadera sabidu-
20 ría si no lo restituye. Lo cual declara bien cuando
dice *con la cual sal,* que tiene el verdadero saber, *si
no han rendido la grama y lo mal pascido.* Grama es
una yerba dulce dañosa a los ganados, de la cual
comen tanto, que engordan y mueren. Compárase
25 aquí a los bienes que se ganan no debidamente,
porque aunque parezcan enriquecer los hombres
con ellos, pero dexando las penas de la otra vida,
aun en ésta veemos muchas veces que daña a su
dueño la gran puxa de lo mal adquirido.

Luego lo querrán gormar. Cierto es que si tiene verdadero saber, luego restituirá y no dexará la restitución para después encomendarla a sus herederos. Porque la cobdicia que al hombre hace no restituir en su vida, eso mismo avemos visto tener 5 a los herederos para que no lo hagan, o si lo hicieren no ser tan complida como debe. *Y podrán bien sosegar.* Hecha la restitución cierto es que huelga el espíritu en haber hecho lo que debe. *Del rebello que han tenido,* conviene saber, de la rebelión y du- 10 reza que ha tenido en porfiar de tener lo ageno.

---

1 *gormar,* vomitar.

COPLA XXXII

Cuido que es menos dañoso
pacentar por lo costero,
que lo alto y hondonero
juro a mi que es peligroso.
Pero cata que te cale
poner firme, no resbale
la pata donde pisares
pues hay tantos de pesares
in hac lachrymarum valle.

Acabada la inven-
ción en la manera di-
cha, por estas treinta y
una coplas pasadas, en
esta postrimera quiere 5
alabar la vida media-
na. Y dice que ni debe
ser en muy alto ni me-
nos ínfima en lo muy

baxo, por el peligro que de ambas se puede recrecer. 10
Salomón en los Proberbios, al capítulo XXX,
dice a Dios: Señor, ni me des pobreza, ni mucha ri-
queza, porque las riquezas no críen en mí soberbia
y la pobreza no me constriña a hacer cosa vil y fea.
Dadme, Señor, lo necesario a mi mantenimiento. Y 15
conforme a esto dice aquí el profeta: Pienso que es
menos dañoso *pacentar por lo costero;* quiere decir,
tener el estado y manera de vivir mediano, porque
lo alto y hondonado, conviene saber, el estado alto
y el mucho baxo es peligroso, por la razón que dice 20
Salomón. Y es de notar que aún no dice el estado
mediano ser bueno, mas dice ser menos dañoso.
Donde se nota que todos los estados en esta vida

son trabajosos, y luego lo declara donde amouesta, diciéndole: *Pero cata que te cale poner firme, no resbale la pata*, etc. Quiere decir que le cumple andar camino derecho y no con cautela y malas artes de vivir, porque no resbale y caya, como caen también en esta vida como en la otra los que andan con malas artes de vivir en este *lachrymarum valle*, en el cual plega a Dios que vivamos por gracia, y en el otro por gloria. *Amén*.

ÍNDICE

PRINTED IN U.S.A.

GAYLORD